本試験型

保育士問題集

'25年版

JN015799

成美堂出版

本書の使い方

- 本書は、保育士試験を受験される方のための問題集です。
- 過去に出題された問題を徹底分析し、練習問題と、その解答・解説で構成しています。
- 重要な項目、自分の苦手な分野をはっきりさせ、効率よく学習するのに役立ちます。
- 択一、穴埋め、組み合わせ、用語選択など幅広い出題形式をカバーしています。

練習問題

主に左ページに問題、右ページに解答・解説を掲載。多くの問題にあたることで、実力アップを目指します。

正答数チェック欄

繰り返し解いて正答率80%を目指しましょう。

保育の心理学

問1 **次の文は、保育士の職務とストレスに関する記述である。不適切な記述を一つ選びなさい。**

1 保育士自身のライフステージにふさわしい形、態度、距離で仕事ができる"ウェルビーイング"を考える必要がある。
2 新任保育士が就職後に、自身の想像と実際の現場にギャップを感じ、苦痛や不快を感じることがあるが、これを"青い鳥症候群"という。
3 保育士は人を相手とする対人援助職であり、働く意欲が急速かつ著しく低下する"燃え尽き症候群"になることがある。
4 保育士は、心身の負担に対処することを意味する"ストレス・マネジメント"の力が必要である。
5 ストレスへの対処として、ラザルスは、問題中心型と情動中心型の2つのコーピングがあると主張した。

問2 **次のA～Dのうち、保育現場や社会の現状についての記述として適切なものを○、不適切なものを×とした場合の正しい組み合わせを一つ選びなさい。**

A 外国籍の子どもとその保護者に対して、保育士自身が、文化の多様性に気づくとともに興味関心を抱き、あたたかな触れ合いと、相手を尊重する姿勢をもつように心がける。
B 諸外国と比較して、日本では、妻の家事・育児関連時間が長いことが特徴といえる。
C 男性保育士も年々増加しているが、日本において、保育士は女性比率が高い職業の一つといえる。
D 親になる準備として「養護性」は欠かせないものであり、女性の場合、出産後に初めて育まれる。

（組み合わせ）

	A	B	C	D
1	○	○	○	○
2	○	○	○	×
3	○	×	×	×
4	×	×	○	○
5	×	○	×	×

6

虐待や障害について、子どもの貧困やひとり親家庭に関する現状や内閣府などの法令、人権の配慮についての条約（子どもの権利に関する条約など）、倫理順守（全国保育士会倫理綱領）、守秘義務などについても確認しておくとよい。また、幼児期の終わりまでに育ってほしい姿や非認知能力といった近年の幼児教育・保育のキーワードや、家庭支援の心理学について必ず理解しておこう。

保育の心理学

解答・解説① 答 2

1○ 世界保健機関（WHO）の憲章に、「健康とは、身体的・精神的及び社会的に完全に良好な状態（well-being）であって、単に病気でないとか、虚弱ではないということではない」とある。
2× **リアリティ・ショック**と呼ぶ。新たに職に就いた専門職者が、就職後数か月以内に、予期しない苦痛や不快さを伴う現実に出会い、期待と現実のギャップによる衝撃から、身体的、心理的、社会的なショック症状を表す状態のことである。近年、保育士の早期離職が問題となっており、その原因の一つと考えられている。
3○ 燃え尽き症候群は、医療や福祉、教育などの**人的サービス関連**の分野で多発する。
4○ ストレスに対処することを、ストレス・マネジメントという。
5○ コーピングとは、ストレス過程において生じる、内的・外的圧力に打ち勝ったり、減少させたり、受け入れたりするための**精神的・行動的努力**である。

解答・解説② 答 2

A○ 外国籍の子どもとその保護者に対しては、これまでの経緯を理解し、実情を把握するとともに、**受け入れ、見守る姿勢**を示し、安心と信頼が築けるように配慮する。
B○ 内閣府資料「少子化社会対策白書（令和2年）」の「6歳未満の子供を持つ夫婦の家事・育児関連時間（1日当たり・国際比較）」によると、アメリカ、イギリス、フランス、ドイツ、スウェーデン、ノルウェーと比較して、日本の「妻」の「家事・育児関連時間」は最も長く、「夫」の「家事・育児関連時間」は最も短いという結果が出ている。
C○ 総務省統計局2020年「国勢調査」によると、日本社会において、保育士は女性比率が9割以上を占める職業である。男女平等の社会とはいえ、実際には、性別による職域の違いが存在する。
D× 小さいものの成長を見守り、慈しみ、育てようとする共感性である「**養護性**」は、幼い頃から、子ども同士の交流を通しても育まれている。女性は、出産後からでなく、妊娠期も、胎動を通してイメージを膨らませながら、養護性を育んでいるといえる。

7

チェック！

近年の本試験の出題傾向をまとめています。

虐待や障害につ
どの法令、人権の
順守（全国保育士
また、幼児期の終
教育・保育のキー

アドバイス

特に重要な項目や、間違えやすい項目をコラム形式で解説しています。

アドバイス

前言語的コミュニケ

●～生後1か月：生理
●生後1～2か月半：

＊ここに掲載しているページは見本で、本文とは一致しません。
＊できるだけ数多くの問題を掲載できるように、一部問題形式を本試験と変えてあります。

CONTENTS

※本書は原則として令和６年６月現在の法令等に基づき編集しています。ただし、編集時点で入手できた法令等改正情報はできるだけ反映しています。

保育士試験ガイダンス

試験内容等については変更になる可能性があります。事前に必ずご自身で、試験実施機関である（一社）全国保育士養成協議会の発表を確認してください。

1 受験資格を確認

保育士は、児童福祉法第 18 条の 4 に規定された資格で、「登録を受け、保育士の名称を用いて、専門的知識及び技術をもつて、児童の保育及び児童の保護者に対する保育に関する指導を行うことを業とする者」と定義されています。

保育士試験の受験資格は、学歴によるものと、勤務経験によるものがありますが、区分が細かく規定されているため、詳細は試験実施団体等でご確認ください。

2 試験に関する問い合わせ先

一般社団法人 全国保育士養成協議会

〒 171-8536　東京都豊島区高田 3-19-10

保育士試験事務センター

フリーダイヤル　0120-4194-82

（オペレータによる電話受付は、月～金曜日 9：30 ～ 17：30［祝日を除く］）

代表電話　03-3590-5561

ホームページ　https://www.hoyokyo.or.jp/　（e-mail）shiken@hoyokyo.or.jp

'25 年後期試験に向けた法改正はブログでフォロー

本書編集後の法令等の改正のうち、'25 年後期試験への出題が予想されるものについては、本書専用のブログに掲載する予定です。（アドレスは本書の最終ページ参照）

保育の心理学

保育の心理学

正答数　1回目 ／31　2回目 ／31

問1 **次の文は、言語と認知についての記述である。不適切な記述を一つ選びなさい。**

1　大人の動作を見て、時間をおいて別の場所でまねをする能力のことを「延滞模倣」という。

2　ワンワンを犬だけではなく、猫や牛、毛のあるものなど、言葉の適用範囲を広げることを「過剰拡張」という。

3　ピアジェが唱えた発達段階において、「自己中心性」は具体的操作期の特徴である。

4　ガラガラを振るなどの同じ行動の繰り返しのことを「循環反応」と呼ぶ。

5　ヴィゴツキーは、3歳前後の子どもが集団の中で独り言のような会話をすることから、自分の頭の中で考えを整理するために自分の中でつぶやく言葉である「内言」への移行期と考えた。

問2 **次のうち、子どもの理解における家庭環境のアセスメントにおいて、ブロンフェンブレンナーの生態学的モデルに照らし合わせた場合の、正しい組み合わせを一つ選びなさい。**

A　家族構成、保護者の精神状態、夫婦関係や育児態度――マイクロシステム

B　国家の教育政策や福祉政策――エクソシステム

C　保護者と保育者との関係、保護者の親や親しい仲間との関係――メゾシステム

D　地方自治体の機関（児童相談所など）、保護者の職場の状況――マクロシステム

（組み合わせ）

	A	B	C	D
1	○	○	○	○
2	○	×	○	×
3	○	○	×	×
4	×	○	○	×
5	×	×	×	○

虐待や障害について、子どもの貧困やひとり親家庭に関する現状や内閣府などの法令、人権の配慮についての条約（子どもの権利に関する条約など）、倫理順守（全国保育士会倫理綱領）、守秘義務などについても確認しておくとよい。また、幼児期の終わりまでに育ってほしい姿や非認知能力といった近年の幼児教育・保育のキーワードや、家庭支援の心理学について必ず理解しておこう。

解答・解説 ❶　答 3

1○　一度見たものを頭の中にイメージしてとどめておかなければならないため、**表象の発達**の一つと考えられる。

2○　記述の通りである。逆に、ワンワンを自分の家の犬にしか適用しないなど、言葉の適用範囲を狭めてしまうことを「**過剰縮小**」と呼ぶ。

3×　ピアジェによる**3つの山課題**が有名である。実験では、**前操作期**の頃の子どもは、自分とは別の方向にいる人形から見た場合の山の見え方について尋ねられても、今、自分が見ているのと同じように見えると思って答える。このように、他者の視点でとらえることが難しいために、他者も自分と同様にとらえると思う現象を「**自己中心性**」と呼ぶ。具体的操作期には、自己中心性の特徴がみられなくなる「**脱中心化**」が起こる。

4○　記述の通りである。ピアジェは、第一次循環反応から第三次循環反応に区分した。

5○　6歳以降になると、**外言**は他者との会話のやりとりのための優れた手段として、**内言**は「今、ここ」を離れた場所や未来、抽象的な事項などを考える際の「思考の道具」として使い分けられるようになる。

解答・解説 ❷　答 2

A○　記述の通り、**マイクロシステム**といえる。子どもに最も近接する環境、家庭における保護者やきょうだいとの関わりがその一例である。

B×　エクソシステムではなく、**マクロシステム**が正しい。子どもが生活する社会や文化がもつ信念体系など、国家レベルのものがその一例である。

C○　記述の通り、**メゾシステム**といえる。2つ以上のマイクロシステムが交わる状態であり、家庭と保護者、家庭とその仲間関係がその一例である。

D×　マクロシステムではなく、**エクソシステム**といえる。何らかの形で子どもに影響を与える社会の状況であり、地方自治体の機関や、保護者の職場の状況がその一例である。

問 3 次の文は児童期に関する記述である。不適切な記述を一つ選びなさい。

1 児童期は、同性同年齢の凝集性のある集団を特徴とした仲間関係を形成する。

2 他者を援助しようとする自発的な行動を向社会的行動といい、児童期後期よりみられる。

3 善悪の判断や倫理観などの道徳性は、児童期に大きく発達する。

4 ピアジェは、小学校低学年までは「他律的判断」を行うが、高学年頃になると「自律的判断」を行うようになると考えた。

5 ピアジェは、子どもの知的発達の中で具体的操作期には、思考活動に可逆性や相補性が加わるとした。

問 4 次の保育所での【事例】を読んで【設問】に答えなさい。

【事例】

4歳児クラスの子ども3人が園庭で遊んでいると、黄色の蝶が飛んできた。Aちゃんが「あっ」といいながら（**a**）飛んできた黄色の蝶を指差し、Tちゃんと Kちゃんも蝶を見る。「みんなが知っている蝶かな」と保育士が言うと、（**b**）「昨日の遠足で、お弁当を食べているときに飛んできた蝶と一緒だよ」とTちゃんが言った。それを聞いたKちゃんは、急いで保育室に戻り、昆虫の図鑑をとってきた。保育士が「さっきの蝶はこの中のどれかな」というと、Kちゃんは（**c**）図鑑に載っている蝶の画像の一つを指差す。「そうだね、この蝶かもしれないね。みんなで描いてみようか」と保育士が言うと、（**d**）3人は図鑑で探した黄色の蝶を見て、その直後、画用紙に蝶を描き始めた。

【設問】

【事例】を説明する記述として（**a**）～（**d**）にあてはまる用語を【語群】から選択した場合の正しい組み合わせを一つ選びなさい。

【語群】

ア	叙述の指差し	**イ**	要求の指差し	**ウ**	応答の指差し		
エ	意味記憶	**オ**	エピソード記憶	**カ**	即時模倣	**キ**	延滞模倣

（組み合わせ）

	a	b	c	d
1	ア	エ	イ	キ
2	ア	オ	ウ	カ
3	イ	エ	ウ	キ
4	イ	オ	ア	カ
5	ウ	オ	ア	カ

解答・解説③

答　2

1○　**ギャング・グループ**のことである。児童期は、少人数の遊び仲間から自然発生的に大きな集団が形成される時期である。

2×　向社会的行動の芽生えは2歳頃よりみられ、**幼児期後期**にかけて徐々に発達する。

3○　道徳性の芽生えは乳幼児期よりみられるが、児童期に大きく発達する。

4○　ピアジェは、小学校高学年頃には、対等な仲間と新たな規則を作りだしたり修正したりする**自律的判断**を行うようになると考えた。

5○　ピアジェは、具体的操作期には、具体的な物や場面のヒントがあれば、直観に左右されずに物事を把握できるようになるとし、一度元へ戻して考える**可逆的思考**や、ある面が変わっても、他の面がそれを補うような変化をしていないか考える**相補的思考**を用い、見かけの変化による混乱を補正できるようになるとした。

解答・解説④

答　2

子どもの指差しは生後9か月頃からみられるようになる。例えば、生後半年の子どもに対して、大人が見つけたものを指差しても、子どもは指差した先にあるものを見ようとせず、大人の顔や指を見ているだけである。大人が指差した先にあるものを子どもも見るようになると、「子ども」－「もの」－「大人」の三項関係が始まる。指差しには、自分が取ってほしいものを指差す「要求の指差し」や、見つけたものを伝えようとする「叙述の指差し」、大人に「どれかな」と言われて、質問に関する答えを、指差して伝えようとする「応答の指差し」がある。

aア　見つけたものを伝えようとする「**叙述の指差し**」である。

bオ　時系列に沿った出来事の経緯の記憶であり、「**エピソード記憶**」である。「意味記憶」は、ものの名称などの記憶である。

cウ　保育士の「どれかな」の声掛けに応じた指差しであることから、「**応答の指差し**」である。

dカ　ここでは、子どもたちは観察した直後に模倣して絵を描いているため、模倣の種類でいえば「**即時模倣**」である。「延滞模倣」は、目の前には存在しなくとも、ある程度の長い時間が経ってから再現して模倣をすることで、例えばおままごとをする中で、母親の普段の言動を思い出してまねをすることがこれにあたる。

問 5 **次の文は、発達をとらえる方法についての記述である。不適切な記述を一つ選びなさい。**

1　保育の場で子どもと遊びや生活をともにし、関わりながら観察するのは、「参与観察法」である。

2　質問の内容をおおまかに決めておくが、実際には面接の中で回答者の答え方により柔軟に質問を変えていく方法は「半構造化面接」である。

3　ラベル(カード)作り、グループ編成、図解化、文章化の4段階から構成される、面接や観察などでの収集データの整理と分析は「KJ法」である。

4　検査において、同じ条件下では、時間の経過を経ても一貫した結果が得られることを「妥当性」と呼ぶ。

5　同一の対象を長期間にわたって継時的に追跡調査することを「縦断的方法」という。

問 6 **次の文は、ライフサイクルとそこで発生する問題についての記述である。適切な記述の組み合わせを一つ選びなさい。**

A　"対象喪失"とは、愛する人との別れ、死別、慣れ親しんだ環境を離れること、自身の身体の一部喪失などの出来事と、そのことにより生じる悲しい気持ちなどの感情をさす。

B　マーシアのアイデンティティ・ステイタスでの「早期完了」は、例えば、職業選択にあたりアイデンティティの危機を経験せず、家族など他者の意見や価値観を自分のアイデンティティとして無批判に受け入れている状態である。

C　ホームズとレイによる、日々の日常生活の中で生じるストレスをマグニチュードで表した社会的再適応評価尺度によると、妊娠は結婚よりもストレス値が高い。

D　老年期には、身体的、精神的、家族関係などにおいても喪失体験が重なる。

E　エリクソンの心理社会的発達理論は、女性としてのライフサイクルとアイデンティティ形成も十分考慮されている。

(組み合わせ)

1　A　B　D
2　A　C　E
3　B　C　E
4　B　D　E
5　C　D　E

解答・解説⑤

答　4

1○　保育士自身が子どもと関わりながら子どもを観察する状態は、**参与観察法**である。

2○　構造化された面接とは異なり、**半構造化面接**では、調査の目的は最初に定めつつ、回答者が自由に語れるように柔軟に質問の仕方を変えていく方法である。

3○　**KJ 法**は、質的研究法の代表的な一つである。カード一枚につきデータを一つ記入し、分析、整理して解析する。

4×　設問文は、「**信頼性**」の説明である。妥当性とは、その検査が測定しようとしているものを間違いなく測定していることである。

5○　設問文の通りである。一方、ある一時点でデータを収集するような方法は、横断的方法である。

解答・解説⑥

答　1

A○　記述の通りである。人生では、様々な対象喪失を経験する。高齢になるとともに、獲得よりも喪失が増えていく。

B○　マーシアは、アイデンティティ拡散、**早期完了**、モラトリアム、アイデンティティ達成の 4 つの**アイデンティティ・ステイタス**を定義した。早期完了は、例えば、音楽に携わる職に就く一家で生まれ育ち、特に吟味することなく、自身も音楽に携わる職に就くといった状態である。

C×　ホームズとレイによる 1967 年の**社会的再適応評価尺度**によると、ストレスのマグニチュードが高いものから順に表した場合、結婚が 7 位に対し、妊娠は 12 位とストレスのマグニチュードが低くなっている。なお、同評価尺度において、1 位は**配偶者の死**である。

D○　老年期には、退職をする、親密な他者が亡くなる、病気で身体の一部を失うなどの喪失体験が重なる。

E×　エリクソンの心理社会的発達理論では、**職業選択**が**青年期の課題**となっているが、特に現代の女性にあてはめた場合、ライフサイクルとアイデンティティの形成は、エリクソンの理論ではとらえきれていない姿もあるといえる。例えば、結婚や出産の有無で女性には様々なライフコースがあり、人生の中で、結婚や出産が女性の就労形態や職業選択に大きく関わるとともに、絶えず自分の生き方を見直している。

問7 次のうち、発達理論に関する記述として、正しいものを二つ選びなさい。

1 バンデューラは、人は環境からの働きかけの受け手であり、行動は環境からの言語的指示、行動への賞・罰のフィードバックなどにより獲得されるとした。

2 フェスティンガーは、他者の行動及びその結果を観察することによって、自らの行動を変容させたり新しい行動を習得したりするとした。

3 ゲゼルは、学習ができるようになる心身の準備性があると考え、環境の重要性を唱えた。

4 バルテスは、発達は全生涯を通じて常に獲得と喪失（成長と衰退）が相互に関連し合って共存する過程であることなど、生涯発達の観点を主張した。

5 ウィニコットは、子どもが愛着の対象を向けるもののことを移行対象と呼んだ。

問8 次の文は、生涯発達の過程についての記述である。適切な記述を○、不適切な記述を×とした場合の、正しい組み合わせを一つ選びなさい。

A 原始反射の消失時期は生後３か月以内で、その後、随意運動へと移行する。

B 青年期前期には、内面的なつながりを重視し、同一の言語を持つことで互いの共通点を確認し、一体感を得ようとするピア・グループを形成する。

C 小学校の学習や生活が滑らかに接続できるように工夫された１年生当初の指導計画のことを「スタートカリキュラム」と呼ぶ。

D 爪かみをする３～４歳児には、本人に意識をさせるため、その都度声をかけ、指に包帯を巻くことが効果的である。

E 仲間関係での攻撃性が顕著になる４～５歳児には、不安の表れの場合を考え、個々の子どもの心の動きに注意して対応する。

（組み合わせ）

	A	B	C	D	E
1	○	○	×	○	×
2	○	×	○	×	○
3	×	×	○	×	○
4	×	○	×	○	×
5	×	×	○	○	×

解答・解説⑦　　答　4、5

1×　これはワトソンの行動主義に関する記述である。バンデューラは**2**の記述に当てはまる。

2×　これはバンデューラの**観察学習**に関する記述である。

3×　ゲゼルは、生得的に**内在する能力**は、時期に応じて**おのずと展開**していくと考えた。心身の準備性はレディネスともいう。

4○　バルテスは、**獲得と喪失**以外にも、個体の発達は生涯にわたる過程であり、歴史的・文化的条件の影響を受けることなどを述べている。

5○　**移行対象**は、タオルやぬいぐるみなど、母親のイメージのあるものが選ばれやすい。

解答・解説⑧　　答　3

A×　原始反射の**消失時期はそれぞれで異なる**。例えば、バビンスキー反射は2歳頃と、消失時期の遅いものもある。消失には大脳皮質の成熟が関係し、消失すべき時期になっても持続する場合には、発達の遅れなどが疑われる。

B×　青年期前期には、**チャム・グループ**を形成する。特に女子に多く、互いの共通点を言葉で確認し合うことで、一体感を持とうとする。ピア・グループは、青年期後期にみられ、互いの違いも認め合い、価値観や将来を語り合う中で、尊重し合う関係を築く。

C○　「**小1プロブレム**」が起こらないようにするためだけでなく、園生活から学校生活、学習に滑らかに接続できるように、小学校1年生の開始時において**スタートカリキュラム**が取り入れられている。また、年長児後半の指導計画において、小学校を意識したアプローチカリキュラムが実施されていることもある。これらは決して先取りで学習をさせることではない。

D×　3～4歳は、**社会性が芽生え**たことで心の問題が表面化することが多い時期である。指しゃぶりを無理にやめさせると、爪かみへと移行することがある。注意したり、意識させたりすると、より悪化することがあるため、指しゃぶりや爪かみが子どもの心の安定の手立てとなっているのであれば、急にはやめさせず様子をみていく。

E○　4～5歳児は、葛藤やいざこざといった様々な経験を通して、社会性や仲間関係でのルールを学ぶ。しかし、顕著な攻撃性がみられる場合には、依存や不安の表れであることも多いため、頭ごなしに攻撃性を注意するのではなく、**個々の心の動きに留意**する必要がある。

問9 次のうち、虐待に関する記述として、正しいものを三つ選びなさい。

1 幼い頃に受けた心の傷は、子どもの健全な自我の発達を妨げ、人格形成に大きな影響を及ぼす。

2 子どもに必要な情緒的欲求に応えない場合は、ネグレクトに含まれない。

3 虐待による幼い子どものPTSD（心的外傷後ストレス障害）の発症は、考えられない。

4 意図的に子どもを病気にさせて献身的な看病をするなどして周囲の注目を集めるものに、子どもを代理としたミュンヒハウゼン症候群がある。

5 被虐待体験は、脳に器質的・機能的な影響を与える。

問10 次の文は、乳幼児の行動に関する記述である。A～Dに関する用語を【語群】から選択した場合の最も適切な組み合わせを一つ選びなさい。

A 鏡に映った自分の頬に赤いクレヨンがついているのを見て、手でこすって取ろうとする。

B 生後間もない子どもと正面に向き合い大人が口を開けて舌を出すと、子どもも口を開けて舌を出す。

C 子どもが大人の手を使って物を指したり、大人の手を引っ張ったりして目的を達成しようとする。

D 夢のなかやアニメのなかの登場人物が、実世界でも実際に存在していると思うこと。

【語群】

ア	身体的自己	**イ**	客体的自己	**ウ**	原初模倣	**エ**	延滞模倣
オ	クレーン	**カ**	ターンテーキング	**キ**	実念論	**ク**	人工論

（組み合わせ）

	A	B	C	D
1	ア	ウ	オ	キ
2	イ	エ	カ	ク
3	ア	ウ	カ	ク
4	イ	エ	オ	キ
5	イ	ウ	オ	キ

解答・解説⑨　答　1、4、5

1○　心の傷は、**心的外傷（トラウマ）**と呼ばれる。幼い頃に受けたトラウマは、思春期以降にパーソナリティ障害やうつ病、摂食障害などの発病リスクを高める。

2×　愛情遮断や子どもを遺棄すること、健康状態を損なうほどの**無関心や怠慢**などもネグレクトにあたる。

3×　子どものPTSDは、漠然とした悪夢やパニック、引きこもり、表情の乏しさ、**物事への関心の低下**、**精神活動全体の低下**に現れる。遊びの集中困難、退行、分離不安もみられる。眠れない、些細な物音に怯えて泣く、苛立つこともある。幼い子どもの場合、症状すべてが揃わず、部分的になることも多い。

4○　故意に子どもを傷つけたり、病人に仕立てあげているにもかかわらず、いかにも子ども思いであるかのように振る舞うことが多い。医者や周囲の人の同情や関心をひくことで、自らの精神的満足を得ようとしている。子どもを代理としているため、**代理ミュンヒハウゼン症候群**と呼ぶ。

5○　例えば、言葉による暴力により、大脳皮質側頭葉にある聴覚野の一部変化が起こるなど、器質的にも機能的にも影響することが知られている。

解答・解説⑩　答　5

Aイ　鏡に映った姿が自分であるとわかるのは、**客体的自己**が形成された証である。**身体的自己**とは、指しゃぶりなど、身体の感覚を通して自己を理解していくことである。

Bウ　**原初模倣**は新生児模倣とも呼ぶ。メルツォフとムーアによる実験が有名で、正面に向き合った大人が大きく口を開けて舌を出すと、子どもも大人と同じ顔の動きをすることが知られている。延滞模倣は、模倣対象が目の前にいない状態で、後から思い出して模倣をすることである。

Cオ　例えば、取ってほしいものを言葉でうまく表現できない時に、子どもが大人の手を引っ張って**クレーン**の動作をすることがある。**ターンテーキング**は、相手が話し終わってから話し始めるといった会話の原型となる。

Dキ　夢で見たことや想像したものはすべて実在するという幼児独特のとらえ方を**実念論**と呼ぶ。**人工論**は、虹などの自然現象を含め、すべてのものは人間が作ったという幼児独特のとらえ方である。

問11 次の文は、家族関係・親子関係についての記述である。適切な記述を○、不適切な記述を×とした場合の正しい組み合わせを一つ選びなさい。

A 親が子どもに対して、他者と比較して「できない」ところに目を向けがちであると、子どもも自身のできないところが気になり、焦りや不安を感じることが多くなりやすい。

B ひとり親家庭では、経済的なことや諸手当のこと、就労のことなど、様々な情報が必要となりやすい。

C 特別なニーズを抱える家庭への援助では、親子ともに喪失や悲しみに十分に向き合えないままに日々を懸命に過ごしていることもあるため、保育士は親の大変さをねぎらいながら、子どもの抱える不安に寄り添っていくことが必要である。

D 子育ては家庭だけでできるものではなく、保育所や地域の遊び場、病院などの社会資源を適切に利用することが必要である。

（組み合わせ）

	A	B	C	D
1	○	○	×	×
2	○	×	○	×
3	○	○	○	○
4	×	○	×	×
5	×	×	○	○

問12 次の文は、エリクソンの心理社会的発達理論に関する記述である。不適切な記述を一つ選びなさい。

1 乳児期の発達課題は「基本的信頼対不信」で、なるべく多くの他者との関わりを通して信頼感を獲得することが求められる。

2 幼児期後期の発達課題は、「自主性対罪悪感」である。

3 成人期後期（壮年期）には、青年期に確立したアイデンティティの再体制化が必要となる。

4 成人期前期の発達課題は、「親密性対孤立」であり、深く親密な関係を他者との間に築き、その関係性を継続できるまでに自分自身を成熟させることが課題となる。

5 児童期（学童期）には「自分には、自分なりの力がある」という自己有能感が育まれると、何事にも一生懸命取り組む態度として、この時期の発達課題である「勤勉性」を身につけることができる。

解答・解説⑪　答　3

A○　親が他者比較を通して子どもの「できない」ところに焦点を当てがちであると、他の子と比較してわが子の「できない」ところを指摘する機会が増えるため、子ども自身「できない」ことに意識が向き、**劣等感**が増すこともある。大人は、その子なりの良さを十分に認め、子どもが安心して**自己発揮**できるように援助をすることが望ましい。

B○　離婚や未婚、死別などの様々な事情の**ひとり親家庭**の相談は、就労や住居のことなど、相談内容が多岐にわたることが多く、様々な面で情報が必要である。

C○　例えば、ひとり親家庭では、離婚や死別などの**喪失体験**に親子とも十分に向き合えないまま、気丈に日々を過ごしていることもある。保育士は親子が抱える不安などに寄り添うような心理的な面での援助が必要である。

D○　保護者は子どものために、**社会資源**を利用できるよう、様々な手続きや料金の支払いなどをする必要がある。子どもは社会の中で育つのであり、家庭だけが子どもの育つ場ではない。

解答・解説⑫　答　1

1×　乳児期には、**特定の養育者**との関わりを通して、自分を取り巻く社会及び自分自身を信頼できるという感覚である、基本的信頼を獲得することが課題となる。

2○　日常生活で**必要な能力**を身につけ、**自律できる**ことが求められる。

3○　成人期後期になると、自身の身体的変化や退職などの社会的な役割の変化、子どもの巣立ちなどによる生活の変化を経験する。そのため、その後の人生を見据えたアイデンティティの**再体制化**が必要となる。

4○　記述の通りである。

5○　小学校の中学年以降になると、他者と自分を比較し、客観的な評価をするようになる。運動や音楽など種々の領域で力を発揮して自信を持つこともあれば、自分なりに頑張ったが、友人と比較され叱られることが続いたり、頑張ったプロセスを認めてもらえなかったりした場合などは「**劣等感**」が増大する。

次の【事例】を読んで、【設問】に答えなさい。

【事例】

5歳児に「去年の避難訓練を覚えているかな？今日はみんなで避難訓練をします。サイレンが鳴ったら、お友達を押さない、走らない、しゃべらない、保育室に戻らない、この4つを守って園庭に移動してね。『お・は・し・も』の頭文字で覚えてね」と保育士が説明すると、子どもたちは口々に「おはしも」と繰り返す。「『は』は何かな」と保育士が尋ねると「走らない」と子どもは思い出して答える。

【設問】

次のうち、【事例】に関連するものとして、適切なものを○、不適切なものを×とした場合の正しい組み合わせを一つ選びなさい。

A 忘れないように繰り返し声に出すのは、認知発達の用語では「リハーサル」である。

B 「『は』は何かな」と言われて思い出すのは、記憶のメカニズムの中の「想起」である。

C 「お・は・し・も」と頭文字の語呂合わせで覚えることは、記憶方略では「精緻化」と呼ばれる。

D 去年の避難訓練の記憶は、短期記憶である。

（組み合わせ）

	A	B	C	D
1	○	○	○	×
2	○	○	×	×
3	×	○	○	○
4	×	×	○	×
5	×	×	×	○

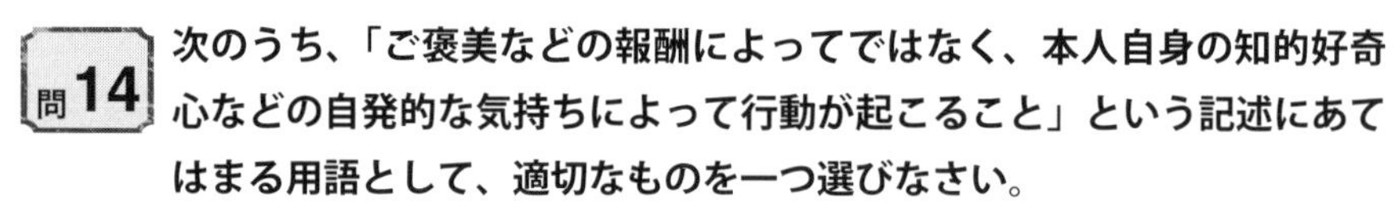

次のうち、「ご褒美などの報酬によってではなく、本人自身の知的好奇心などの自発的な気持ちによって行動が起こること」という記述にあてはまる用語として、適切なものを一つ選びなさい。

1 外発的動機付け

2 内発的動機付け

3 社会的強化

4 同化

5 調節

解答・解説⑬　答　1

A○　「**リハーサル**」とは、記憶に留めるために繰り返し声に出したり、反復練習をしたりすることである。

B○　記憶のメカニズムは、情報を取り入れる「**記銘**」、ため込んで保つ「**保持**」、必要に応じて引き出す「**想起**」の3つである。忘れてしまうことは「**忘却**」と呼ぶ。

C○　例えば、歴史の年号を語呂合わせで覚えるような記憶の方略を「**精緻化**」と呼ぶ。このようにすることで、覚えやすく、忘れにくく、思い出しやすくなる効果がある。

D×　**短期記憶**は30秒から数分ほどで消えるような記憶である。短期記憶は、思い出や知識として長期記憶に移行する。設問では、去年の避難訓練の記憶なので、「**長期記憶**」となる。

解答・解説⑭　答　2

1×　例えば、ある子どもが、保育士に褒められることやご褒美のために片付けの行動を起こすとき、行動自体ではなく、褒められることやご褒美が目的となる。これは、**外発的動機付け**である。

2○　例えば、虫に興味を持っている子どもが、保育士に褒められることやご褒美のためではなく、さらに詳しく知りたいという自発的な気持ちによって行動を起こすとき、虫について調べる行動自体が目的となる。これは、**内発的動機付け**である。

3×　他者や社会から褒められたりすることなどにより、その行動の頻度が増すことを**社会的強化**と呼ぶ。

4×　ピアジェの発達理論によると、子どもは外界と関わりながら自身の枠組みである**シェマ**を形成していく。新たな経験を既存の枠組みと照らし合わせる中で、枠組みに合うものを行動に取り入れる。この作用を**同化**と呼ぶ。

5×　4と同じくピアジェの発達理論によると、シェマと新たな経験とを照らし合わせる中で、枠組みに合わない経験をした場合、新規の経験に合うように既存の枠組みを変えることがあり、この作用を**調節**と呼ぶ。なお、同化と調節のバランスが取れている状態を**均衡化**と呼ぶ。

問15 次の文は、就学と就学に向けた移行期についての記述である。不適切な記述を一つ選びなさい。

1　既に十分な連携が行われており、保育所から小学校へ接続における課題点は少ない。

2　保育所と小学校が交流する機会を設ける際には、園児と児童にとって互恵性のある関わりとなるように意識する。

3　保育者は、子どもの発達と学びの連続性を意識し、環境や長期的な視点から子どもをとらえ、援助することが望ましい。

4　“小１プロブレム”といわれる現象は、小学校入学直後だけではなく、数か月続くようなこともある。

5　小学校の最初の授業では、例えば、音楽室探検など、生活科を中心とした合科的な指導を行うというように、授業を工夫することが望ましい。

問16 次の文は、学習に関する記述である。適切な記述を○、不適切な記述を×とした場合の正しい組み合わせを一つ選びなさい。

A　学習理論には連合学習理論と認知学習理論があり、古典的条件付けは認知学習理論の例である。

B　パブロフによる古典的条件付けにおいて、本来、唾液分泌と無関係であった音刺激を無条件刺激と呼ぶ。

C　レイヴとウェンガーは、学習とは共同体への参加の過程であると考え、伝統的参加学習という学習論を唱えた。

D　ブルーナーは、本来、子どもは学びの意欲を持つ存在ととらえ、動機付けを大切な要素と考えた。

E　プログラム学習において、最初は援助を多く与えるが、次第に援助を減少させ、自分の力だけでできるようにすることをフェイディングの原理と呼ぶ。

（組み合わせ）

	A	B	C	D	E
1	○	○	×	×	○
2	×	×	○	×	○
3	○	×	×	○	×
4	○	○	○	×	×
5	×	×	×	○	○

解答・解説⑮　答 1

1× 中央教育審議会初等中等教育分科会の「審議経過報告」（2022）によると、幼保小の接続の課題として園の約7～9割が**小学校との連携**に課題意識を持っているという結果である。理由は多岐にわたり、カリキュラムの工夫がわからない、交流行事が単発で学びの連続性につなげられていないなどである。

2○ 交流の機会においては、保育所の園児と小学校の児童の双方が、互いにとって意味のある活動となることが大切である。このように、小学校との連携での交流において、子ども同士の**互恵性**を重視している。

3○ 子どもがこれまでに辿ってきた経過から小学校以降へと長期的な視点を持ち、人的環境だけでなく文化社会的な影響も含めて子どもをとらえ、援助することが望ましい。

4○ **小1プロブレム**は、入学直後のみで収束せず、休暇明けに生じたり、数か月続くような場合もある。

5○ 「小学校学習指導要領解説 生活編」第4章「指導計画の作成と内容の取扱い」1.1（4）には、特に、小学校入学当初において、**生活科を中心とした合科的な指導を行う**などの工夫をすることに関する記述がある。例えば、図工と生活科を組み合わせて「折り紙で遊ぼう」とするなどの工夫がなされている。

解答・解説⑯　答 5

A× 古典的条件付けのように刺激と反応の新たな結びつきができるものが**連合学習理論**、洞察説のように環境に対応して学習者の認知構造が変化するものが認知学習理論である。

B× 生得的に反射を生じさせる刺激を**無条件刺激**と呼ぶ。古典的条件付けのように本来、唾液分泌と無関係だった刺激は、**条件刺激**、この条件刺激によって生じる反応は、**条件反応**と呼ぶ。

C× レイヴとウェンガーは、伝統社会における徒弟学習に刺激を受け、**正統的周辺参加**という学習論を唱えた。

D○ ブルーナーは、教科の種類に関係なく、内容を子どもの発達に合わせた形で提示することでレディネスを引き出すことが可能だとした。

E○ プログラム学習は、スキナーにより提唱されたオペラント条件付けの理論に基づく。このほか、**スモールステップの法則**や**即時確認の原理**などからなる。

問17 次の文は、発達と学びについての記述である。（　A　）～（　E　）にあてはまる用語を【語群】から選択した場合の正しい組み合わせを一つ選びなさい。

- ヴィゴツキーによる（　A　）の概念は、子どもがある課題を一人でできる発達の水準と、大人の指導や協働するとできる発達の水準との隔たりをさす。
- 学習の成立に必要な個体の発達的素地や心身の準備性を（　B　）と呼ぶ。
- 他者の行動とその結果を観察するだけで成立する学習を（　C　）と呼ぶ。
- 自転車の乗り方やピアノの弾き方などの身体を使った技術的な記憶を（　D　）と呼ぶ。
- 新奇な状況に出会ったときなど、不安や恐怖などの情緒が生じたとき、その場にいる信頼できる他者の表情や振る舞いなどの情報から自らの行動をガイドすることを（　E　）と呼ぶ。

【語群】

ア	レディネス	**イ**	発達の最近接領域	**ウ**	モデリング
エ	社会的参照	**オ**	意味記憶	**カ**	手続き記憶

（組み合わせ）

	A	B	C	D	E
1	ア	イ	ウ	カ	エ
2	ア	イ	エ	オ	ウ
3	イ	ア	ウ	オ	エ
4	イ	ア	ウ	カ	エ
5	イ	ア	エ	カ	ウ

問18 次の【事例】を読んで、【設問】に答えなさい。

【事例】

降園時、保護者から保育士に相談が寄せられた。「手が汚れているのではないかと気になって洗うのだが、手を洗った後に何かに触れたら、また汚れたのではないかととても不安になり、自分でもおかしいとわかっているのだが、また手を洗ってしまう。こんなふうに、一日に何度も、数えきれないほど手を洗ってしまう」

【設問】

この事例で最も疑われる精神医学的問題を一つ選びなさい。

1　パニック障害
2　強迫性障害
3　統合失調症
4　疼痛性障害
5　起立性調節障害

解答・解説⑰　答　4

Aイ　ヴィゴツキーは**発達の最近接領域**の概念を唱えたことで有名である。保育現場において、今、その子どもが育ちつつあるところを見極めて援助することが重要である。

Bア　**レディネス**は学習準備性とも呼ばれ、ゲゼルが唱えたことで有名である。保育現場において、心身の準備が整っていない状態にもかかわらず、早すぎるタイミングでその子にとって難しすぎる課題に取り組むことは、失敗経験による意欲喪失が生じ、肯定的な心の育ちに影響を与えることもある。レディネスをひたすら待つことが求められるのではなく、個々の育ちを見極め、子どもが興味関心を持ち、やってみたくなるような環境を用意するなどの大人の関わりが重要となる。

Cウ　他者の行動とその結果をみるだけで成立する学習を、**モデリング**または観察学習と呼び、バンデューラが唱えたことで有名である。自らの行動とその結果による直接的な学習である条件付けと比べて、モデリングは他者の行いを見るという間接的な学習である。

Dカ　言語などの知識の記憶を意味記憶と呼ぶのに対して、身体を用いた技術的な記憶は**手続き記憶**と呼ぶ。

Eエ　**社会的参照**は、例えば、子どもが生まれて初めて大きな犬に出会い、怖いという思いを抱いている状況で、その場にいる母親が、犬に微笑みかけたり、犬のもとに近寄ってなでるなどの振る舞いをすると、子どもにとって信頼できる母親の様子を見て、怖いものではない、大丈夫そうだと感じて振る舞うような状態である。

解答・解説⑱　答　2

強迫性障害が疑われる事例である。非常に強い不安を持ち、自分でも無意味だとわかっているのに、その不安を打ち消すための行為を繰り返す。このような強迫観念や強迫行為により、日常生活に支障をきたす。**パニック障害**は、ある時突然、息苦しさやめまい、動悸が生じ、また突然同じ症状になるのではと激しい不安の発作が生じる。**統合失調症**は、幻覚や妄想、支離滅裂な会話、集中力の低下など、症状は多岐にわたる。**疼痛性障害**は、診察や検査を行っても原因が見つからないが、患者は身体の痛みを訴える。**起立性調節障害**は、起立時に脳をはじめとする身体への血流変化への対処がうまくいかず、立ちくらみやふらつき、低血圧、動悸などを起こす。起床時に困難をきたすことが多く、学童期に症状が続くと、学習にも大きな影響を及ぼす。

問19 次の文は、道徳性と向社会的行動に関する記述である。適切な記述を○、不適切な記述を×とした場合の正しい組み合わせを一つ選びなさい。

A 道徳性の芽生えは乳幼児の生活の中にあり、親子関係を基本としながら集団社会である保育の場でも育てられるものである。

B 共感性や思いやり行動が育つために、身近な大人の模範的な行動を示すことが重要である。

C コールバーグは、道徳性の発達を３つの水準と６つの段階で示したが、水準１の第２段階は、自分の損得を重んじて道徳判断を行う段階である。

D 向社会的行動は、愛他的行動を含む。

E 愛他的行動には、報酬を期待するなど利己的な目的がない。

（組み合わせ）

	A	B	C	D	E
1	×	×	×	○	○
2	×	○	○	×	○
3	○	○	○	○	○
4	○	○	○	×	×
5	○	×	×	○	×

問20 次の文は、「保育所保育指針」の乳幼児の発達に関する記述である。（ A ）～（ D ）にあてはまる語句を【語群】から選択した場合の最も適切な組み合わせを一つ選びなさい。

<乳児期の特徴>

乳児期の発達については、視覚、聴覚などの感覚や、座る、はう、歩くなどの運動機能が著しく発達し、特定の大人との（ **A** ）な関わりを通じて、（ **B** ）な絆が形成されるといった特徴がある。

<３歳以上児>

仲間と遊び、仲間の中の一人という自覚が生じ、（ **C** ）な遊びや（ **D** ）な活動もみられるようになる。

【語群】

ア 基本的	**イ** 受容的	**ウ** 応答的	**エ** 情緒的
オ 集団的	**カ** 自主的	**キ** 協同的	

（組み合わせ）

	A	B	C	D
1	ア	エ	カ	キ
2	イ	ア	オ	カ
3	ウ	エ	オ	キ
4	イ	エ	キ	カ
5	ウ	ア	カ	キ

解答・解説⑲

答　3

A○　乳幼児期に**道徳性の芽生え**が培われる。

B○　子どもは大人の行動をよく見ており、まねをしたり、試す機会があると身につく。さらに、子どもに考える時間を与えることも必要である。

C○　コールバーグは、ピアジェの理論を発展させた。水準1は前慣習的水準である。**道徳性**は、知能や認知の発達とも関係する。

D○　向社会的行動は、思いやり行動や愛他的行動を含む。

E○　**愛他的行動**は全く報酬を期待しないものであるが、向社会的行動は報酬が欲しくて行動するなど、利己的な目的であってもよい。

解答・解説⑳

答　3

Aウー応答的

Bエー情緒的

Cオー集団的

Dキー協同的

「保育所保育指針」第2章「保育の内容」1「乳児保育に関わるねらい及び内容」(1) ア、及び同3「3歳以上児の保育に関するねらい及び内容」(1) アの記述の一部である。

乳児期には、著しい**感覚・運動機能の発達**と、大人の**応答的**な関わりによる**愛着形成**という特徴がある。3歳以上児では、仲間との関わりやクラスでの活動を通して、**集団での遊び**や**協同的**な活動がみられる。

アドバイス

子どもの遊びと仲間関係、保育者の関わりについて確認しておこう。

- 遊びの種類：感覚遊び／運動遊び／想像・表現遊び／構成遊び／ルールのある遊び／受容遊びなど
- パーテンによる遊びの分類：何もしていない行動／傍観遊び／ひとり遊び／平行遊び／連合遊び／協同遊び

問21 次の文は、愛着と気質についての記述である。（ A ）～（ D ）にあてはまる用語を【語群】から選択した場合の正しい組み合わせを一つ選びなさい。

・愛着とは、特別な対象に対する情緒的な結びつきのことで、（ A ）によってその概念が提唱された。
・トマスらの気質の分類によると、新しい環境に慣れるまでに時間のかかるタイプの子どもは、（ B ）と分類された。
・（ A ）が唱えた愛着行動の発達段階の第（ C ）段階（生後6か月～2、3歳頃）には、母親など愛着対象を安全基地として探索行動を始める。
・エインズワースらが行った、母子の分離と再会場面の実験的観察において見られた分類では、親と離れる際にもあまり混乱や不安は見せず、また再会時にも、親にほとんど関心を示さない愛着スタイルは（ D ）である。

【語群】

ア	ボウルビィ	**イ**	ウィニコット	**ウ**	扱いにくい子
エ	立ち上がりの遅い子	**オ**	2	**カ**	3
キ	Aタイプ（回避型）	**ク**	Cタイプ（アンビバレント型）		

（組み合わせ）

	A	B	C	D
1	ア	エ	カ	キ
2	ア	ウ	オ	ク
3	ア	エ	オ	キ
4	イ	ウ	カ	ク
5	イ	エ	オ	キ

問22 次の文は、子どもの理解に基づく保育計画や「保育所児童保育要録」についての記述である。不適切な記述を一つ選びなさい。

1 保育士は、保育計画や記録よりも保育実践を振り返ることが求められる。

2 子どもの理解において、子どもの活動内容や結果だけでなく、心の育ちや意欲、取り組む過程にも十分配慮する。

3 子どもの発達に即して、心を動かされる直接的な体験の重要性を意識する。

4 就学先の小学校への申し送りが頻繁かつ口頭で十分にできている場合に限り、保育所児童保育要録の作成は免除される。

5 保育所児童保育要録は、保育所での生活を通しての、その子の育ちを総合的に記入する。

解答・解説㉑　答　1

Aア　**ボウルビィ**は、主に養育者である母親と子どもの**情緒的な絆**を**愛着**と呼んだ。

Bエ　トマスらによる**気質**の分類では、順応が早く、機嫌のよいことの多い「**扱いやすい子**」、順応が遅く、不機嫌なことの多い「**扱いにくい子**」、新しい環境に適応するのに時間がかかりやすい「**立ち上がりの遅い子**」の3タイプが抽出された。トマスらの調査によると、それぞれ順に、40%、10%、15%が該当し、この3つのタイプのどれにも該当しない子どもが35%である。

Cカ　**ボウルビィ**は愛着行動の発達を4段階に分けた。第1段階では誰にでも定位・発信行動を示すが、第2段階になると定位・発信行動が特定の人に向けられ始め、第**3**段階になると慣れ親しんだ人とそうでない人を明確に区別し、人見知りが始まる。愛着対象が**安全基地**となると**探索行動**が盛んになるが、安全基地である愛着対象が子どもの視界の範囲にいることを望み、そうでないと不安で泣く。第4段階になれば、愛着対象のイメージが子どもの心に**内在化**され、離れていても情緒的に安定する姿がみられるようになる。

Dキ　**エインズワース**らは、母子の分離と再会の場面を実験的に観察することで、愛着の個人差を、**Aタイプ**（**回避型**）、**Bタイプ**（**安定型**）、**Cタイプ**（**アンビバレント型**）の3タイプに分けた。現在では、愛着の個人差にはDタイプ（無秩序型）があるとされる。このDタイプは、虐待児の可能性があるといわれる。

なお、**ウィニコット**は、お気に入りのぬいぐるみや布切れを肌身離さずにいるような子どもの姿から、子どもが愛着を向ける布切れなどを**移行対象**と呼んだ。

解答・解説㉒　答　4

1○　**保育実践**を振り返り、また保育の計画を立てる、その循環が大切である。

2○　できなかったという結果だとしても、取り組もうとした意欲、頑張ろうと勇気を出す姿、葛藤などの子どもの心の揺れ動きにも着目することが重要である。

3○　抽象的に言語で把握する大人に対して、子どもたちは、見たり聞いたり触れたりといった**五感を通した体験**から心を揺れ動かすことが多い。子どもの発達に即して、小さくても子どもが心動かされる体験がいかに重要かを意識したい。

4×　保育所のすべての子どもの就学先に向けて**保育所児童保育要録**を作成する。保育所児童保育要録のみで就学先の小学校への接続・連携は十分とはいえず、保育所と小学校の更なる連携が望まれる現状である。口頭ではなく、必ず書面の作成を行う。

5○　記述の通りである。到達したかの枠組みでの評価ではないことに留意する。

問23 **次の文は、子どもを理解するための方法や保育の評価に関する記述である。適切な記述を○、不適切な記述を×とした場合の正しい組み合わせを一つ選びなさい。**

A　保育では、より適切に子どもを理解するために、PDCAサイクルを意識して保育実践を振り返ることが必要である。

B　子どもの理解に基づく評価は、到達度や他児との比較ではなく、一人一人のよさや可能性を把握し、指導の改善に活かすことである。

C　保育においては、子どもに一貫した援助を行うためにも、連携する保育士同士が、共に同じ視点で子どもを見ていることを確認し合うようなカンファレンスが重要である。

D　保育現場では、子どもを理解するための方法として、写真を活用したドキュメンテーションの手法も広がっている。

（組み合わせ）

	A	B	C	D
1	○	○	×	×
2	○	×	○	×
3	○	○	×	○
4	×	○	×	×
5	×	×	○	○

問24 **次の文は、妊娠中の母親と胎児についての記述である。適切な記述の組み合わせを一つ選びなさい。**

A　薬物は胎盤を通して胎児に移行し、妊娠期間全体を通して注意が必要だが、とりわけ妊娠4～7週は薬物の影響を受け、形態的異常が生じやすい。

B　胎児性アルコール症候群の三主徴は、中枢神経機能障害、顔面異常、発達遅延である。

C　母親が抑うつ状態になると、母子相互作用にも影響が生じ、新生児も興奮しやすいなどの抑うつに似た行動がみられることがある。

D　妊婦の喫煙は、知的発達の遅れや精神発達の障害への影響はない。

E　妊娠16週頃には、音楽を聴かせたり、妊婦の腹部に音刺激を与えたりすると、胎児の心拍数が増加する。

（組み合わせ）

1　A　B　C
2　A　C　E
3　B　C　D
4　B　D　E
5　C　D　E

解答・解説㉓　答　3

A○　P（Plan：**計画**）—D（Do：**実践**）—C（Check：**評価**）—A（Action：**改善**）という流れを繰り返すことにより、保育士は保育実践を振り返り、評価し、次へと改善していくことが必要である。

B○　保育において、子どもの理解に基づく評価とは、子どもの一人一人のよさや可能性を把握し、子どもの理解を進めるために**援助の過程を振り返る**ものであり、他児と比較したり、一定の基準に合わせて「できない」ところをとらえたりするものではない。

C×　カンファレンスは、画一的な視点の確認をするためにあるのではなく、子どもへの理解を深め、**保育の向上**のために行う。自分の援助が正しいかを他者に評価されるためのものではないことを意識し、互いの意見を尊重し合うあたたかな雰囲気の下、共に意見を交わすことが求められる。また、保育士が子どもの行動の見方や自分の保育について振り返る中で、多様な意見、新たな視点に触れることで、子どもへの関わりや子ども観、保育観を見つめ直す機会にもなる。

D○　保育の実習日誌も、広義にはドキュメンテーションの一つであるが、近年、レッジョ・エミリアの実践など海外から取り入れた保育におけるドキュメンテーションでは、写真などを活用する傾向がみられる。

解答・解説㉔　答　1

A○　**妊娠4～7週**は、心臓や中枢神経、四肢が形成され、**薬物の影響を受けやすい**が、**妊娠に気づきにくい時期**であり、服薬には十分な配慮が必要である。

B○　妊婦の慢性的で長期的な飲酒により、中枢神経の異常を生じて生まれてきた子どもを、**胎児性アルコール症候群**という。

C○　周産期には**抑うつ**になりやすく、そのストレスは胎児や新生児の発達に影響を及ぼす。

D×　**低体重**だけでなく、**先天異常**や**血液の悪性腫瘍**などの発症率が高く、知的発達の遅れや精神発達の障害にも影響を及ぼすといわれる。

E×　聴覚の機能は、胎齢**20週**には完成、出生前4か月頃から音を聞き始め、出生前2か月には音の強弱や高低を区別できる。妊娠30週には、音刺激に心拍数が上昇する。

問25 **次の文は、保育士の職務とストレスに関する記述である。不適切な記述を一つ選びなさい。**

1 保育士自身のライフステージにふさわしい形、態度、距離で仕事ができる“ウェルビーイング”を考える必要がある。

2 新任保育士が就職後に、自身の想像と実際の現場にギャップを感じ、苦痛や不快を感じることがあるが、これを“青い鳥症候群”という。

3 保育士は人を相手とする対人援助職であり、働く意欲が急速かつ著しく低下する“燃え尽き症候群”になることがある。

4 保育士は、心身の負担に対処することを意味する“ストレス・マネジメント”の力が必要である。

5 ストレスへの対処として、ラザルスは、問題中心型と情動中心型の２つのコーピングがあると主張した。

問26 **次のＡ～Ｄのうち、保育現場や社会の現状についての記述として適切なものを○、不適切なものを×とした場合の正しい組み合わせを一つ選びなさい。**

A 外国籍の子どもとその保護者に対して、保育士自身が、文化の多様性に気づくとともに興味関心を抱き、あたたかな触れ合いと、相手を尊重する姿勢をもつように心がける。

B 諸外国と比較して、日本では、妻の家事・育児関連時間が長いことが特徴といえる。

C 男性保育士も年々増加しているが、日本において、保育士は女性比率が高い職業の一つといえる。

D 親になる準備として「養護性」は欠かせないものであり、女性の場合、出産後に初めて育まれる。

（組み合わせ）

	A	B	C	D
1	○	○	○	○
2	○	○	○	×
3	○	×	×	×
4	×	×	○	○
5	×	○	×	×

解答・解説㉕　　答　2

1○　世界保健機関（WHO）の憲章に、「健康とは、身体的・精神的及び社会的に完全に良好な状態（well-being）であって、単に病気でないとか、虚弱ではないということではない」とある。

2×　**リアリティ・ショック**と呼ぶ。新たに職に就いた専門職者が、就職後数か月以内に、予期しない苦痛や不快さを伴う現実に出会い、期待と現実のギャップによる衝撃から、身体的、心理的、社会的なショック症状を表す状態のことである。近年、保育士の早期離職が問題となっており、その原因の一つと考えられている。

3○　燃え尽き症候群は、医療や福祉、教育などの**人的サービス関連**の分野で多発する。

4○　ストレスに対処することを、ストレス・マネジメントという。

5○　コーピングとは、ストレス過程において生じる、内的・外的圧力に打ち勝ったり、減少させたり、受け入れたりするための**精神的・行動的努力**である。

解答・解説㉖　　答　2

A○　外国籍の子どもとその保護者に対しては、これまでの経緯を理解し、実情を把握するとともに、**受け入れ**、**見守る姿勢**を示し、安心と信頼が築けるように配慮する。

B○　内閣府資料「少子化社会対策白書（令和２年）」の「6歳未満の子供を持つ夫婦の家事・育児関連時間（1日当たり・国際比較）」によると、アメリカ、イギリス、フランス、ドイツ、スウェーデン、ノルウェーと比較して、日本の「妻」の「家事・育児関連時間」は最も長く、「夫」の「家事・育児関連時間」は最も短いという結果が出ている。

C○　総務省統計局2020年「国勢調査」によると、日本社会において、保育士は女性比率が9割以上を占める職業である。男女平等の社会とはいえ、実際には、性別による職域の違いが存在する。

D×　小さいものの成長を見守り、慈しみ、育てようとする共感性である「**養護性**」は、幼い頃から、子ども同士の交流を通しても育まれている。女性は、出産後からでなく、妊娠期も、胎動を通してイメージを膨らませながら、養護性を育んでいるといえる。

問27 次の文は、「保育所保育指針」第１章「総則」４「幼児教育を行う施設として共有すべき事項」（２）「幼児期の終わりまでに育ってほしい姿」の一部である。（　A　）～（　D　）にあてはまる語句を【語群】から選択した場合の適切な組み合わせを一つ選びなさい。

・心を動かす出来事などに触れ（　A　）を働かせる中で、様々な素材の特徴や表現の仕方などに気づく。
・保育所の生活の中で、（　B　）をもって自分のやりたいことに向かって心と体を十分に働かせ、（　C　）をもって行動する。
・きまりを守る（　D　）が分かり、自分の気持ちを調整し、友達と折り合いを付けながら、きまりをつくったり、守ったりするようになる。

【語群】

ア	感性	**イ**	想像力	**ウ**	安心感	**エ**	充実感	**オ**	見通し
カ	自信	**キ**	重要性	**ク**	必要性				

（組み合わせ）

	A	B	C	D
1	ア	ウ	カ	キ
2	ア	エ	オ	ク
3	ア	ウ	オ	ク
4	イ	エ	カ	キ
5	イ	ウ	オ	ク

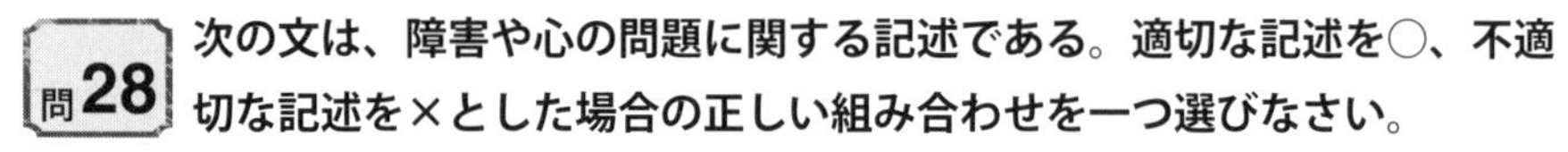

問28 次の文は、障害や心の問題に関する記述である。適切な記述を○、不適切な記述を×とした場合の正しい組み合わせを一つ選びなさい。

A　対象を特定せず、誰彼構わずしがみつく愛着行動を示す場合、仲間との友好関係や信頼関係の形成が困難である。

B　ADHD（注意欠如多動症）は、多動性、衝動性、注意の持続の困難といった状態が重複して現れることが多く、症状の現れ方や程度は生涯変化しない。

C　自閉スペクトラム症の子どもの乳児期は、刺激に対する過敏や変化を嫌うという特性から、すべての養育者が非常に育てにくいと感じる。

D　発達性協調運動症は、他の発達障害との併存がしばしば認められる。

（組み合わせ）

	A	B	C	D
1	○	×	×	○
2	○	○	×	×
3	○	×	○	×
4	×	×	○	○
5	×	○	×	○

解答・解説㉗　答　2

Aア　「保育所保育指針」第１章「総則」４「幼児教育を行う施設として共有すべき事項」(2)「幼児期の終わりまでに育ってほしい姿」のコ　「豊かな感性と表現」の一文である。子どもが**表現の喜びや意欲**を持てるように援助する。

Bエ、Cオ　同ア　「健康な心と体」の一文である。子ども自ら、**健康で安全な生活**を送れるように援助する。

Dク　同エ　「道徳性・規範意識の芽生え」の一文である。子どもが、他児の気持ちに**共感**したり、他児の立場になった行動がとれるように援助をする。

解答・解説㉘　答　1

A○　記述は、DSM-5-TR（アメリカ精神医学会「精神障害の診断・統計マニュアル」）の“脱抑制型対人交流症”の定義による。これとは別に、周囲に警戒を示し、同年輩の子どもとの社会的交渉が難しく、優しくされているのに怒るなどの矛盾した感情を持つものはDSM-5-TRの“反応性アタッチメント症”にあてはまる。

B×　症状は重複して現れることが多いが、多動性が大幅に落ち着き、忘れ物等の不注意の問題が残るなど、**成長とともに現れ方や程度が変わる**ことがある。

C×　自閉スペクトラム症の乳児期の様相は、**一通りではない**。なかなか寝付かず、泣き叫び、過敏さや変化を嫌うという特性が強い様子の子どももいれば、あまり泣かず、大人から見て非常におとなしく育てにくさを感じないような様子の子どももいる。

D○　日本では、発達性協調運動症と診断された子どもは諸外国ほど多くなく、身体的な不器用さを単なる経験不足ととらえられてしまうことも多い。**他の発達障害との併存**が認められる。

問29 **次の文は、アセスメントについての記述である。適切な記述を○、不適切な記述を×とした場合の正しい組み合わせを一つ選びなさい。**

A 乳幼児の発達のアセスメントは、面接と、知能検査や発達検査の実施で判断される。

B 乳幼児の発達に気になる点がある場合、早めの対応が何より望まれるため、保護者の意思に反しても専門家によるアセスメントを進める。

C 乳幼児に行ったアセスメントの結果は、検査を行ったその時点のものであり、生涯にわたるすべてではない。

D ジェノグラムは、三世代ほどをさかのぼる家族員の関係を図示したもので、血縁でなくとも同居や家族の関係が深い人を含んで作成する。

（組み合わせ）

	A	B	C	D
1	○	×	○	×
2	○	×	×	○
3	○	○	×	×
4	×	○	○	×
5	×	×	○	○

問30 **次の文は、現代社会の子どもと保護者が抱える問題、保育所での関わりについての記述である。適切な記述を○、不適切な記述を×とした場合の正しい組み合わせを一つ選びなさい。**

A ひとり親家庭の子どもの就園率（保育所・幼稚園）は30％程度である。

B 時代の流れに合わせて、保育所でも家庭でも、乳幼児がいつでも望むだけメディアに触れられるような環境を構成する。

C 保育巡回相談では、まずは対象児がいかにインクルーシブな保育ができるかを考える。

D 日本において、親の所得と子どもの学力能力に相関はなく、貧困は世代で連鎖しない。

E アクティブ・ラーニングの姿勢は、保育士の子どもとの関わりにおいても望まれる。

（組み合わせ）

	A	B	C	D	E
1	○	○	○	○	○
2	×	○	○	○	×
3	○	○	×	×	×
4	○	×	×	○	○
5	×	×	○	×	○

解答・解説㉙　答　5

A×　**面接法**、**観察法**、**検査法**に代表される3つの方法を用いて総合的に理解する。

B×　保護者支援の基本は、**自己決定の尊重**である。保護者の理解に基づいて対応していくことが望ましい。

C○　アセスメントは、原因、状況、今後の支援計画を立てる**見立て**を行い、支援を進める中で、都度、見直しを行う。

D○　記述の通りである。**ジェノグラム**によって複雑な家族構成や関係性の整理につながり、支援策の検討に活用することができる。

解答・解説㉚　答　5

A×　内閣府「子供の貧困に関する指標の推移」によると、ひとり親家庭の子どもの就園率（保育所・幼稚園）は**80%程度**とされる。

B×　テレビやDVD視聴、様々な通信機器の利用については、子どもの視力、言語、愛着形成などに、様々な影響があることが知られている。食事中の利用は避ける、メディアに接触する時間を制限するなど、**子どもを取り囲む環境に留意**する。

C○　保育の場に臨床心理士や保健師などの巡回相談員が出向き、対象となる子どもをアセスメントし、見立てをする。対象となる子どもを排除するのではなく、在籍クラスで他児とともにいかに生活や活動を行うことができるかという**インクルーシブ**の視点が大切である。そのため、対象児を取り囲む人的・物的環境、保育の場だけで考えず、家庭と連携するなど、多面的にとらえた支援が必要である。

D×　本来、親の所得と子どもの学力に相関はないはずだが、日本は諸外国に比べて教育費が非常に高額で、養育に関わる手当も少なく、親が負担する割合が多い。そして、食事など基本的な生活環境が整わない、兄弟の世話に時間を取られる、文化的な経験に乏しいなどの様相がみられるとともに**貧困の連鎖**が生まれているとされる。

E○　学ぶ者の能動性、学びへの積極的な参加を取り入れた教授法や学習法を**アクティブ・ラーニング**と称する。保育所保育指針に直接的な記述はないが、子どもが興味を持ち、主体的に活動や遊びを行うこと、仲間同士や保育士と対話をしながら、深く自分なりに考える力を育てることは重要である。

次の【事例】を読んで【設問】に答えなさい。

【事例】

Fちゃん（4歳、女児）の母親より、担当保育士に相談があった。妹が生まれてからというもの、家ではFちゃんは「自分で食べない」「着られない」と生活場面などでの甘えが顕著になっている。「もうお姉ちゃんなんだから、自分でしようね」と促すがあまり改善されない。父親は仕事で帰宅時間も遅い。「育児疲れもあり、私は鬱になりそう」と母親は話す。

【設問】

次のうち、担当保育士の対応や判断として適切なものを○、不適切なものを×とした場合の正しい組み合わせを一つ選びなさい。

A　母親の感じる「つらさ」を、まずはしっかり話を聞いて受け止める。

B　幼児退行の現象がFちゃんに起きている可能性がある。

C　鬱病と判断し、母親の許可はなくとも、父親にも担当保育士から連絡を入れ、専門機関への受診を速やかにするよう勧める。

D　普段、園ではFちゃんに甘えの様子が見られないと伝え、家庭でのFちゃんの行動の問題が解決するように助言する。

（組み合わせ）

	A	B	C	D
1	○	×	○	×
2	○	○	×	○
3	○	○	×	×
4	×	○	○	×
5	×	×	○	○

解答・解説㉛　　答　3

A○　**育児ストレス**は慢性的に続き、ストレス要因を完全に取り除くことは難しい。保育士は、母親の気持ちに寄り添うよう、話を聞いて受け止めることが求められる。

B○　**幼児退行**は、幼い妹や弟に対して母親の関心が向くために、急に甘えて服を一人で着られないとせがむような行動がその例である。

C×　保育士は病気の診断をする専門的立場にない。家庭状況の十分な把握もなく、担当保育士から父親に連絡し、母親の受診を勧めるのは早計である。各家庭の抱える状況に応じ、援助では保護者の**自己決定の尊重**に留意する。

D×　園と家庭で、子どもの姿が異なることも多い。「園ではそのような様子は見られない」と伝えることで、保育士に受け止めてもらえないと母親が感じる可能性もある。問題解決を急がずに**保護者の思いを受け止める**とともに、園の場だけで子どもの実態を判断して保護者に助言をしないことも大切である。

保育原理

保育原理

正答数　1回目 ／30　2回目 ／30

問1　次のAからCの記述について、適切な記述を○、不適切な記述を×とした場合の正しい組み合わせを一つ選びなさい。

A　ジュネーブ共和国に生まれ、のちにフランスで活躍したルソーは、子どもは大人の小型ではなく、人格を持つ個人であるとして子どもの権利を主張した。

B　オーエンは、イギリスで経営する紡績工場の労働者の子どもたちのために幼児学校を創設した。

C　デューイはアメリカのシカゴ大学に実験学校を創設し、子どもは太陽のように中心となるもので、学習の主体は子どもであると考えた。

（組み合わせ）

	A	B	C
1	×	○	○
2	×	×	○
3	○	○	×
4	○	×	○
5	○	○	○

問2　日本の保育を取り巻く法制度に関する次の文章を読み、適切な記述を○、不適切な記述を×とした場合の正しい組み合わせを一つ選びなさい。

A　子ども・子育て支援新制度では、利用定員6人以上19人以下の「小規模保育」、利用定員5人以下の「家庭的保育」の他、「居宅訪問型保育」、「事業所内保育」が地域型保育事業として位置付けられた。

B　1998（平成10）年度の「厚生白書」によって、3歳までは家庭で子どもを育てるべきだという「三歳児神話」に学術的な根拠があることが示された。

C　1.57ショックを受けて、出生率の低下と子どもの人数の減少傾向への対策として、1994（平成6）年に「男女雇用機会均等法」をスタートさせた。

D　地域の子育て支援を担う専門職として、その重要性が高まっていることなどを背景として、2001（平成13）年に保育士資格が法定化された。

（組み合わせ）

	A	B	C	D
1	○	○	×	×
2	○	×	×	○
3	×	○	○	○
4	×	×	○	○
5	○	×	○	×

保育の歴史的人物の功績、日本の保育制度・法律の変遷から例年4～5問、保育の実際に関わる事例問題が2～3問出題されている。残りは保育所保育指針の内容に関して語句や記述の適切さを問う問題であるため、指針をしっかり読み込み、内容を理解しておくことが望ましい。

解答・解説① 答 5

A○ ルソーは、「子どもの発見者」、「近代的教育思想の始祖」とも称されている。

B○ オーエンの主著『**新社会観**』『オーエン自叙伝』には、幼児学校の理論と実践が示されている。

C○ デューイは、実験学校での内容を主著『**学校と社会**』にまとめ、学校のあるべき姿を示した。

解答・解説② 答 2

A○ 子ども・子育て支援新制度は、2015（平成27）年に施行された幼児期の学校教育・保育、地域の子ども・子育てを支援するための制度である。①認定こども園、幼稚園、保育所を通じた共通の給付（「施設型給付」）及び小規模保育等への給付（「地域型保育給付」）の創設、②認定こども園制度の改善、③地域の実情に応じた子ども・子育て支援の充実、といった主な内容を確認しておきたい。

B× 「三歳児神話」には「**根拠がない**」ことが示された。居住空間の郊外化、核家族化が進む中で母親が一人で子育てに専念することが一般化したことによって「母親は子育てに専念するもの」といった社会的規範が生まれたが、これは戦後の数十年の間に形成されたに過ぎないとし、三歳児神話に合理的な根拠は見当たらないと否定した。

C× 「男女雇用機会均等法」ではなく、**エンゼルプラン**である。1989（平成元）年に1人の女性が一生で産む子どもの平均人数である合計特殊出生率が、史上最低の1.57人となったことを受け、政府は出生率の低下と少子化問題の解決策としてエンゼルプランを打ち出した。

D○ 児童福祉法の一部改正によって保育士資格が国家資格となり、地域の子育て支援の中核を担う専門職としての活躍が求められるようになった。

次の文のうち、「保育所保育指針」第１章「総則」1「保育所保育に関する基本原則」(2)「保育の目標」の一部として、適切な記述を○、不適切な記述を×とした場合の正しい組み合わせを一つ選びなさい。

A　十分に養護の行き届いた環境の下に、くつろいだ雰囲気の中で子どもの様々な欲求を満たし、生命の保持及び情緒の安定を図ること。

B　健康、安全など生活に必要な基本的な習慣や態度を養い、心身の健康の基礎を培うこと。

C　生命、自然及び社会の事象についての興味や関心を育て、それらに対する豊かな心情や思考力の芽生えを培うこと。

D　子どもの生活リズムを大切にし、健康、安全で情緒の安定した生活ができる環境や、自己を十分に発揮できる環境を整えること。

E　様々な体験を通して、豊かな感性や表現力を育み、創造性の芽生えを培うこと。

（組み合わせ）

	A	B	C	D	E
1	○	×	○	○	×
2	×	○	×	○	○
3	○	×	×	○	○
4	○	○	○	×	○
5	×	○	○	×	×

次の文のうち、「保育所保育指針」第１章「総則」1「保育所保育に関する基本原則」(5)「保育所の社会的責任」の一部として、適切な記述を○、不適切な記述を×とした場合の正しい組み合わせを一つ選びなさい。

A　子どもの人権に十分配慮するとともに、子ども一人一人の人格を尊重して保育を行う。

B　地域社会との交流や連携を図り、保護者や地域社会に、当該保育所が行う保育の内容を適切に説明する。

C　一人一人の子どもが、健康で安全に過ごせるようにする。

D　入所する子ども等の個人情報を適切に取り扱う。

（組み合わせ）

	A	B	C	D
1	×	○	×	○
2	×	×	○	×
3	○	×	×	○
4	○	○	×	○
5	○	×	○	×

解答・解説③　　答 4

A○ 「保育所保育指針」第１章「総則」1「保育所保育に関する基本原則」(2)「保育の目標」ア（ア）の記述で、適切である。

B○ 同（2)「保育の目標」ア（イ）の記述で、適切である。

C○ 同（2)「保育の目標」ア（エ）の記述で、適切である。

D× 同（3)「保育の方法」イの記述で、不適切である。

E○ 同（2)「保育の目標」ア（カ）の記述で、適切である。

子どもが生活時間の大半を過ごす保育所は、**人間形成**に関わる大切な場所である。保育士は、子どもの未来を見据え、**日々の保育において目標**を目指して保育を行っている。

解答・解説④　　答 4

A○ 「保育所保育指針」第１章「総則」1「保育所保育に関する基本原則」(5)「保育所の社会的責任」アの記述で、適切である。

B○ 同イの記述で、適切である。

C× 「保育所保育指針」第１章「総則」2「養護に関する基本的事項」(2)「養護に関わるねらい及び内容」ア「生命の保持」（ア）「ねらい」②の記述で、不適切である。

D○ 「保育所保育指針」第１章「総則」1「保育所保育に関する基本原則」(5)「保育所の社会的責任」ウの記述で、適切である。

保育の**知識**や経験、**技術**を備えた保育所は、家庭や地域社会において、その役割を果たす。保育所に対する社会的な信頼を得ることにつながる事項である。

問5 **次のうち、倉橋惣三に関する記述として、正しいものを三つ選びなさい。**

1　雑誌「幼児の教育」「キンダーブック」などの編集に関わった。

2　「子どもは子ども同士の世界に住まわすことが何よりの幸福である」との考えの下、特定の園舎を持たずに近所の森などの自然の中で保育を行う「家なき保育園」を始めた。

3　1917（大正6）年に東京女子高等師範学校附属幼稚園の主事となり、誘導保育を進めた。

4　第2次世界大戦後、教育刷新委員会の委員に着任し、その経験を経て1948（昭和23）年に日本保育学会を立ち上げた。

5　庶民の子どもたちの生活に目を向けた「社会協力の訓練」を説き、その保育観は、社会中心主義とも呼ばれる。

問6 **次の文のうち、「保育所保育指針」第1章「総則」1「保育所保育に関する基本原則」(4)「保育の環境」に関する記述として、不適切な記述を一つ選びなさい。**

1　子ども自らが環境に関わり、自発的に活動し、様々な経験を積んでいくことができるよう配慮すること。

2　子どもの活動が豊かに展開されるよう、保育所の設備や環境を整え、保育所の保健的環境や安全の確保などに努めること。

3　保育室は、温かな親しみとくつろぎの場となるとともに、生き生きと活動できる場となるように配慮すること。

4　子どもが人と関わる力を育てていくため、子ども自らが周囲の子どもや大人と関わっていくことができる環境を整えること。

5　身近な自然や身の回りの事物に関わる中で、発見や心が動く経験が得られるよう、諸感覚を働かせることを楽しむ遊びや素材を用意するなど保育の環境を整えること。

解答・解説❺ 答　1、3、4

1、3、4○　倉橋は子どもが持つ「**自らの内に育つ力**」を大切にし、子どもが自発的に自由に遊ぶ中での「**自己充実**」を目指して**誘導保育**を説いた。保育者は、直接的に子どもを教え導くのではなく、子どもの自分だけではできないことを充実させるための手助けをし、自然に環境を構築する役割であるとした。

2×　**橋詰良一**（1871～1934）の説明である。橋詰は、元大阪毎日新聞事業部長で欧州を外遊中に病気になり、そこで見聞した子どもたちの姿に着想を得て、屋外保育の理念に基づく「家なき幼稚園」を大阪に創設した。

5×　**城戸幡太郎**の説明である。倉橋惣三の児童中心主義に対し、城戸の保育観は社会中心主義とも呼ばれる。城戸幡太郎は、集団保育の意義を単なる家庭教育の補充、代替としてとらえるのではなくて、集団の中で幼児を保育することの意味を、幼児の生活している家庭や地域社会の文化と関係づけてとらえようとした。

解答・解説❻ 答　5

1○　「保育所保育指針」第1章「総則」1「保育所保育に関する基本原則」(4)「保育の環境」アの記述で、適切である。

2○　同イの記述で、適切である。

3○　同ウの記述で、適切である。

4○　同エの記述で、適切である。

5×　「保育所保育指針」第2章「保育の内容」2「1歳以上3歳未満児の保育に関わるねらい及び内容」(2)「ねらい及び内容」のオ「表現」の（ウ）④の記述で、不適切である。

保育の環境には、保育士等や子どもなどの**人的環境**、施設や遊具などの**物的環境**、さらには、**自然や社会の事象**などがある。

問7　次の文のうち、「保育所保育指針」第２章「保育の内容」４「保育の実施に関して留意すべき事項」(1)「保育全般に関わる配慮事項」の記述の一部として、不適切な記述を一つ選びなさい。

1　子どもの心身の発達及び活動の実態などの個人差を踏まえるとともに、一人一人の子どもの気持ちを受け止め、援助すること。

2　子どもの入所時の保育に当たっては、集団生活への早期の適応を目指し、子どもが安定感を得て、保育所の生活になじんでいくようにすること。

3　子どもの国籍や文化の違いを認め、互いに尊重する心を育てるようにすること。

4　子どもが自ら周囲に働きかけ、試行錯誤しつつ自分の力で行う活動を見守りながら、適切に援助すること。

5　子どもの性差や個人差にも留意しつつ、性別などによる固定的な意識を植え付けることがないようにすること。

問8　次の保育所での０歳児クラスの【事例】を読んで、【設問】に答えなさい。

【事例】

あなたは０歳児クラスの保育士として、子どもたちのために最適な保育の方法を考えている。

【設問】

「保育所保育指針」第１章「総則」、第２章「保育の内容」に照らし、保育士の対応として不適切な記述を一つ選びなさい。

1　子どもの欲求が十分に受容される経験を積み重ねることが大切とされる時期であるので、特定の保育士との信頼関係を築くように心がける。

2　保育士等の仲立ちをきっかけとして、他の子どもとの関わり方を少しずつ身につける。

3　一人一人の生活リズムを尊重しながら、次第に保育所における一日の生活の流れが構築されていくように留意する。

4　子どもが「アーアー」などと声を出すことがある際は、楽しい雰囲気の中で保育士等との関わりを大切に、言葉のやり取りを楽しむようにする。

5　生活や遊びの中で、音や形、色、手触りなどに気づき、感覚の働きを豊かにする。

解答・解説⑦　答　2

1○　「保育所保育指針」第2章「保育の内容」4「保育の実施に関して留意すべき事項」(1)「保育全般に関わる配慮事項」のアの記述である。幼児期は一人一人の**個人差が大きい**ことを踏まえ、生活や遊びの場でそれぞれの子どもの心身の状態をよく把握しながら、その発達への援助を行うことが必要である。

2×　集団生活への早期の適応を目指し、という記述が誤り。入所時の保育に当たっては、**個別の対応を重視**することが望ましく、また、すでに入所している子どもに不安や動揺を与えないようにすることも必要である。同エの記述である。

3○　同オの記述である。日本の文化を一方的に押しつけるのではなく、**家庭状況などを勘案**して、適切な支援を行っていくことが望ましい。

4○　同ウの記述である。子どもの発達を促すためには、周囲の大人からの働きかけだけでなく、子ども自身の**自発的**、**能動的**な働きかけが行われるようにすることも必要である。

5○　同カの記述である。乳幼児期に必要以上の性的固定観念を植え付けることがないよう、配慮して保育を行う。

解答・解説⑧　答　2

1○　適切な記述である。**6か月頃**には**身近な人の顔が判断**できるようになり、愛情をこめて受容的に関わる大人との関わりを楽しむようになるので、子どもを主体として受け止め、特定の保育士との間に愛着関係が構築されるよう心がける。

2×　これは、**1歳以上3歳未満児**の保育に関わるねらい及び内容である。乳児保育においては、身近な大人との関係構築が最も大切にされる。

3○　適切な記述である。乳児期の子どもの生活は、まずは**一人一人**の**生理的なリズム**が尊重されることが重要で、それによって子どもの情緒の安定が促される。

4○　適切な記述である。子どもの言葉にならない思いや欲求を保育士が十分に受け止め、優しい言葉で応えるというやり取りを通して、自分の気持ちを表現したいという意欲や言葉を育むことにもつながっていく。

5○　適切な記述である。保育士は、この時期の子どもが受け止められる程度の適当な保育環境を構成することが求められる。

問9 次の保育所での５歳児クラスの【事例】を読んで、【設問】に答えなさい。

【事例】

５歳児のＡちゃんは、友達の遊んでいる輪に入らず、それを見ている場面が多くみられる。時々、誘われたり興味が引かれたりした場合には遊びに参加することもあったが、遊びの中で言葉を発する機会は少なかった。

【設問】

「保育所保育指針」第１章「総則」、第２章「保育の内容」に照らし、Ａちゃんへの保育士の対応として、適切な記述を○、不適切な記述を×とした場合の正しい組み合わせを一つ選びなさい。

A　友達との遊びに入れるように、保育士が他の子どもとＡちゃんの仲介役となって遊ぶ。

B　Ａちゃんが一人遊びをしている時間を大切にする。

C　クラスの友達にＡちゃんを遊びに誘うように頼む。

D　Ａちゃんに対し、「みんなと一緒に遊ぶと楽しいよ」と声をかける。

（組み合わせ）

	A	B	C	D
1	×	×	○	○
2	○	○	×	×
3	○	×	×	○
4	×	○	×	○
5	○	○	○	×

問10 次の文のうち、「全国保育士会倫理綱領」の一部として、不適切な記述を一つ選びなさい。

1　一人ひとりの子どもの最善の利益を第一に考え、保育を通してその福祉を積極的に増進するよう努めます。

2　養護と教育が一体となった保育を通して、一人ひとりの子どもが心身ともに健康、安全で情緒の安定した生活ができる環境を用意し、生きる喜びと力を育むことを基本として、その健やかな育ちを支えます。

3　子どもと保護者のおかれた状況や意向を受けとめ、保護者とよりよい協力関係を築きながら、子どもの育ちや子育てを支えます。

4　暮らしを支える視点から利用者の真のニーズを受けとめ、それを代弁していくことも重要な役割であると確認したうえで、考え、行動します。

5　地域の人々や関係機関とともに子育てを支援し、そのネットワークにより、地域で子どもを育てる環境づくりに努めます。

解答・解説⑨　　答　4

A×　友達との関係は、保育士が無理に作るのではなく子ども同士の関わりの中からおのずと発生するものであるため、この支援は適切ではない。「保育所保育指針」第1章「総則」1「保育所保育に関する基本原則」(3)「保育の方法」のエに、「子ども相互の関係づくりや互いに尊重する心を大切にし、集団における活動を**効果あるものにするよう援助する**こと」とある。

B○　自分の内面の世界を広げる一人遊びは、遊びの基礎を築く重要な体験であるので、無理に止めたりせずに見守りたい。同第1章「総則」1「保育所保育に関する基本原則」(3)「保育の方法」のウに、「一人一人の発達過程に応じて保育すること。その際、**子どもの個人差に十分配慮すること**」と示されている。

C×　クラスの中でAちゃんは特別な存在ではなく、クラスの一員として様々な経験を積んでいくことが望ましい。一方的にAちゃんを遊びの中に入れたからといって、Aちゃんの人間関係が広がったとはいえない。同第2章「保育の内容」3「3歳以上児の保育に関するねらい及び内容」(2)「ねらい及び内容」イ「人間関係」の(イ)内容に「**友達のよさに気づき、一緒に活動する楽しさを味わう**」とあるように、クラスの他児がAちゃんの良さに気づき、一緒に遊びたいという気持ちを抱く中で遊びに発展していくことが望ましい。

D○　事例の中でも「誘われた場合には遊びに参加する」ともあるように、友達の遊びに全く興味がないわけではないため、声をかけたり様子を眺めたりしながら、Aちゃんのペースで一緒に遊びたいという気持ちになるまでは待つことがよい。「保育所保育指針」第2章「保育の内容」の3「3歳以上児の保育に関するねらい及び内容」(1)「基本的事項」のアに「この時期の保育においては、**個の成長と集団としての活動の充実**が図られるようにしなければならない」と示されている。

解答・解説⑩　　答　4

1○　全国保育士会倫理綱領の「子どもの最善の利益の尊重」の記述として適切である。

2○　同「子どもの発達保障」の記述として適切である。

3○　同「保護者との協力」の記述として適切である。

4×　この記述は、日本介護福祉士会倫理綱領の「利用者ニーズの代弁」の一文である。全国保育士会倫理綱領の「利用者の代弁」の記述は、「日々の保育や子育て支援の活動を通して**子どものニーズ**を受けとめ、子どもの立場に立ってそれを代弁します。また、子育てをしているすべての**保護者のニーズ**を受けとめ、それを代弁していくことも重要な役割と考え、行動します」である。

5○　全国保育士会倫理綱領の「地域の子育て支援」の記述として適切である。

問11 **次の文のうち、「保育所保育指針」第４章「子育て支援」の２「保育所を利用している保護者に対する子育て支援」の一部として、(a)～(e)の下線部分が正しいものを○、誤ったものを×とした場合の正しい組み合わせを一つ選びなさい。**

- 子どもに障害や発達上の（**a**）問題がみられる場合には、市町村や（**b**）専門医と連携及び協力を図りつつ、保護者に対する（**c**）個別の支援を行うよう努めること。
- 保護者に 育児不安等がみられる場合には、保護者の（**d**）家庭状況に応じて個別の支援を行うよう努めること。
- 地域の子どもに対する一時預かり事業などの活動を行う際には、一人一人の子どもの（**e**）興味や関心などを考慮するとともに、日常の保育との関連に配慮するなど、柔軟に活動を展開できるようにすること。

（組み合わせ）

	a	b	c	d	e
1	×	×	○	○	×
2	×	○	×	○	○
3	○	○	×	×	○
4	○	○	○	×	×
5	×	×	○	×	×

問12 **次の文は、「児童福祉施設の設備及び運営に関する基準」の一部である。（　A　）～（　D　）にあてはまる語句の正しい組み合わせを一つ選びなさい。**

- 乳児又は満二歳に満たない幼児を入所させる保育所には、乳児室又は（　**A**　）、医務室、調理室及び便所を設けること。
- 保育所における保育は、（　**B**　）を一体的に行うことをその特性とし、その内容については、（　**C**　）が定める指針に従う。
- 保育所の長は、常に入所している乳幼児の保護者と密接な連絡をとり、（　**D**　）等につき、その保護者の理解及び協力を得るよう努めなければならない。

（組み合わせ）

	A	B	C	D
1	ほふく室	養護及び教育	厚生労働大臣	保育の内容
2	保育室	ねらい及び内容	都道府県知事	保育の計画
3	ほふく室	保育及び教育	都道府県知事	保育の計画
4	ほふく室	ねらい及び内容	厚生労働大臣	保育の内容
5	保育室	養護及び教育	厚生労働大臣	保育の内容

解答・解説⑪　　答　5

a×　正しくは「**課題**」が入る。

b×　正しくは「**関係機関**」が入る。

c○　正しい語句である。

d×　正しくは「**希望**」が入る。

e×　正しくは「**心身の状態**」が入る。

a～dは、「保育所保育指針」第4章「子育て支援」の2「保育所を利用している保護者に対する子育て支援」(2)「保護者の状況に配慮した個別の支援」のイと、同(3)「不適切な養育等が疑われる家庭への支援」のアの文章である。**e**は、同3「地域の保護者等に対する子育て支援」(1)「地域に開かれた子育て支援」のイの文章である。

障害のある子どもの保育については、保護者への支援とともに、一人一人の子どもの**発達過程**及び**障害の状況**を十分に**把握**し、状況に応じた保育を行うことが大切である。また、障害のある子どもの食事への対応に関しては、保育所保育指針解説に「一人一人の子どもの心身の状態、特に、咀嚼(そしゃく)や嚥下(えんげ)の摂食機能や手指の運動機能等の状態に応じた配慮が必要である」ことが示されており、栄養士、看護師やかかりつけ医との連携の中で、適切に支援していくことが求められる。

解答・解説⑫　　答　1

A－ほふく室

B－養護及び教育

C－厚生労働大臣

D－保育の内容

「児童福祉施設の設備及び運営に関する基準」の第32条第1号、第35条、第36条からの出題である。また、同基準第4条第1項には「児童福祉施設は、最低基準を超えて、常に、その設備及び運営を**向上させなければならない**」、同第2項には「最低基準を超えて、設備を有し、又は運営をしている児童福祉施設においては、最低基準を理由として、その設備又は運営を**低下させてはならない**」と規定されている。こちらも併せて確認しておくとよい。

問13 次の文は、「児童憲章」に関する記述である。不適切な記述を一つ選びなさい。

1　児童憲章は、「児童に対する正しい観念を確立し、すべての児童の幸福をはかる」という児童観の確認と公の定着をはかることを目的として制定された。

2　児童憲章は、1951(昭和26)年5月5日に制定された児童の権利宣言である。日本国憲法の精神に従い、その実現のための社会の義務と責任をうたっており、日本における児童福祉の根本理念をなす。

3　児童憲章は、制定の趣旨を述べた前文、本文の基礎になる3原則を示した総則、12か条の本文からなっている。

4　児童憲章は、各界からの代表者による児童憲章制定会議による議論を経て制定された。

5　児童憲章の3原則として、「児童は、人として尊ばれる」「児童は、家庭の一員として重んぜられる」「児童は、よい環境の中で育てられる」ことが挙げられている。

問14 次のある保育所での【事例】を読んで、【設問】に答えなさい。

【事例】

3歳児の担任をしている保育士のFさんは、クラスのA君（3歳4か月）の様子が気になっている。A君は何日も同じ服を着ていることが多く、朝から表情がうつろで元気がない様子の日がみられる。Fさんは送迎に来る母親と話がしたいと思っているが、母親はいつも「忙しいので」と言ってすぐに帰ってしまう。

【設問】

この事例において、「保育所保育指針」の子育て支援に関する記述に照らし合わせた際の、Fさんの対応として最も適切な記述を一つ選びなさい。

1　ネグレクトが疑われることはクラス全体の問題ととらえ、A君の名前を伏せて保育参観日に他の保護者に連絡する。

2　自分一人の思い過ごしかもしれないので、しばらく様子をみる。

3　母親の育児不安も考えられるので、時間をとって母親と話す機会をつくる。

4　直接話すことができないので、子どものことをもっとよく気にかけてあげることが大切だと母親に連絡帳で伝える。

5　プライバシーの保護が大切であるので、施設長などには報告しない。

解答・解説⑬　答 5

1○　適切な記述である。なお、児童憲章の制定の背景には、1947（昭和 22）年に児童福祉法が制定されたが、第二次世界大戦後の荒廃した社会的・経済的状況下で児童の健全な成長を害する事件が絶えず、同法の趣旨が十分に生かされないという状況があった。1949（昭和 24）年から厚生省及び中央児童福祉審議会で制定への準備が始まり、最終的には、内閣総理大臣が招集した児童憲章制定会議によって承認され、**1951（昭和 26）年 5 月 5 日こどもの日**に宣言された。

2○　適切な記述である。

3○　適切な記述である。

4○　適切な記述である。

5×　2 文目が誤り。正しくは「児童は、**社会**の一員として重んぜられる」である。

解答・解説⑭　答 3

1×　匿名であってもクラスの他の保護者に個人的な情報を伝えることは好ましくないので誤り。「保育所保育指針」第 4 章「子育て支援」1「保育所における子育て支援に関する基本的事項」(2)「子育て支援に関して留意すべき事項」のイの通り、**プライバシーの保護**に留意すること。

2×　同 2「保育所を利用している保護者に対する子育て支援」(3)「不適切な養育等が疑われる家庭への支援」のイに、「保護者に不適切な養育等が疑われる場合には、**市町村や関係機関と連携**」する必要性が明示されている。

3○　適切な記述である。保護者に対する子育て支援を行う際には、「保護者の気持ちを受け止め、相互の信頼関係を基本に、保護者の自己決定を尊重すること」が同 1 の（1）「保育所の特性を生かした子育て支援」のアに示されている。まずは、母親の話を聞き、**気持ちを受け止める**ことが大切である。

4×　様々な機会を活用し、保護者との相互理解を図るよう努めることと同 2 の（1）「保護者との相互理解」のアに示されている。連絡帳という手段を用い、保護者との連携に努めようとすることは誤りではないが、育児不安や不適切な養育等が疑われる本ケースにおいて、一方的に**保育者の価値観を押し付ける**ような伝達方法をとることは**適切とはいえない**。

5×　この場合、子どもの利益が優先されるので、**施設長等への報告は必要**。同 1 の（2）のイに「子どもの利益に反しない限りにおいて、保護者や子どものプライバシーを保護し、知り得た事柄の秘密を保持すること」と記載されている。

問15 **次のうち、「保育所保育指針」第2章「保育の内容」3「3歳以上児の保育に関するねらい及び内容」(2) ねらい及び内容の一部である「人間関係」の「内容」として、正しいものを三つ選びなさい。**

1 保育士等や友達と共に過ごすことの喜びを味わう。
2 親しみをもって日常の挨拶をする。
3 友達と積極的に関わりながら喜びや悲しみを共感し合う。
4 自分の思ったことを相手に伝え、相手の思っていることに気づく。
5 人の話を注意して聞き、相手に分かるように話す。

問16 **次の文は、「保育所保育指針」第1章「総則」4「幼児教育を行う施設として共有すべき事項」(1)「育みたい資質・能力」に関する記述である。(A)～(C)にあてはまる語句の正しい組み合わせを一つ選びなさい。**

- 豊かな体験を通じて、感じたり、気づいたり、分かったり、できるようになったりする(A)。
- 気づいたことや、できるようになったことなどを使い、考えたり、試したり、工夫したり、表現したりする(B)。
- 心情、意欲、態度が育つ中で、よりよい生活を営もうとする(C)。

(組み合わせ)

	A	B	C
1	豊かな感性	思考力の芽生えと表現力	自立心
2	豊かな感性	思考力、判断力、表現力等の基礎	自立心
3	知識及び技能の基礎	思考力、判断力、表現力等の基礎	学びに向かう力、人間性等
4	知識及び技能の基礎	思考力、判断力、表現力等の基礎	自立心
5	豊かな感性	思考力の芽生えと表現力	学びに向かう力、人間性等

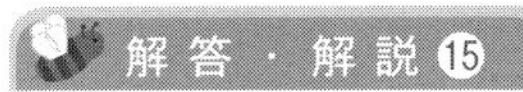

解答・解説⑮　答　1、3、4

1○　「保育所保育指針」第2章「保育の内容」3「3歳以上児の保育に関するねらい及び内容」(2) ねらい及び内容イ「人間関係」(イ)「内容」①の記述で、適切である。

2×　「保育所保育指針」第2章「保育の内容」3「3歳以上児の保育に関するねらい及び内容」(2) ねらい及び内容エ「言葉」(イ)「内容」⑥の記述で、不適切である。

3○　同⑤の記述で、適切である。

4○　同⑥の記述で、適切である。

5×　「保育所保育指針」第2章「保育の内容」3「3歳以上児の保育に関するねらい及び内容」(2) ねらい及び内容エ「言葉」(イ)「内容」④の記述で、不適切である。

「人間関係」は、他の人々と親しみ**支え合って生活**するために、**自立心**を育て、人と関わる力を養う領域である。

保育原理

解答・解説⑯　答　3

A－知識及び技能の基礎

B－思考力、判断力、表現力等の基礎

C－学びに向かう力、人間性等

「保育所保育指針」第1章「総則」4「幼児教育を行う施設として共有すべき事項」(1)「育みたい資質・能力」アの(ア)と(イ)と(ウ)の記述である。

生涯にわたる生きる力の基礎を保育所において培うため、3つの資質・能力「**知識及び技能の基礎**」「**思考力、判断力、表現力等の基礎**」「**学びに向かう力、人間性等**」を保育の中で一体的に育むように努める。

次の文は、わが国の保育の歴史についての記述である。不適切な記述を一つ選びなさい。

1　赤沢鍾美は 1890（明治 23）年、日本で初めて農繁期託児所を開設した。

2　1894（明治 27）年、東京の大日本紡績（株）内に企業内託児所が設立された。

3　明石女子師範学校附属小学校の主事であった及川平治は、児童中心主義に基づく生活が大切であると主張し、『分団式動的教育法』を著した。

4　1900（明治 33）年に開設された二葉幼稚園は、貧民層の幼児を対象として保育を行い、1916（大正 5）年に二葉保育園と改称した。

5　1948（昭和 23）年、文部省によって刊行された『保育要領』は、幼稚園や保育所、家庭といった幼児に関わる全ての人を対象とした幼児教育の手引きとして作成された。

次のある保育所での【事例】を読んで、【設問】に答えなさい。

【事例】

Ｊちゃん（4 歳）は母子家庭であり、母親と 2 人で生活している。ある日、お迎えにきた母親が声をかけても、Ｊちゃんは母親の顔をちらりと見たが、そのまま友達との鬼ごっこに夢中で、帰ろうとしない。4 歳児クラス担当の保育士が、「Ｊちゃんは、今、この遊びがとても好きなんですよ。5 歳児の遊びにも入れてもらい、一緒に楽しんでいます」と話しかけると、母親は「私は子どものしつけができないだめな母親なんです。この先、一人でこの子を育てていくことができるのでしょうか。この頃、とても不安になります。先生、私はどうしたらいいんでしょうか」と言いながら、泣き出した。

【設問】

保育士がこの段階で第一に行う対応として、最も適切な記述を一つ選びなさい。

1　父親の分も、母親はもっと強くならなくてはいけないと、指導する。

2　保育士がＪちゃんの遊びをやめさせて、すぐに母親と帰らせる。

3　保育所の役割を超えているので、保育士が、すぐに児童相談所に電話をし、母親の相談に応じてくれるよう依頼する。

4　母親の気持ちを確認し、子どもたちの様子を見ている保育士に一声かけてから、別室で母親が自分の気持ちを話すことができるよう配慮する。

5　母親一人での子育ては無理なので、児童養護施設に子どもを入所させるよう母親を説得する。

解答・解説⑰　　答　1

1×　赤沢鍾美が開設したのは**新潟静修学校**。農繁期の保護者が多忙な時期だけ乳幼児を保育する臨時の保育所である農繁期託児所を 1890（明治 23）年に開設したのは筧雄平である。

2○　この当時の託児所の目的は、低賃金の女性労働者の確保にあった。

3○　**及川平治**は明治末期から昭和 10 年代初期まで兵庫県明石女子師範学校附属小学校で主事として教育改革に挑み、成績が劣る子どもに適切な教育を実施するために、内容によってグループに分けて学習する分団式教育を行った。

4○　東京の麹町に**野口幽香**と**森島峰**によって設立された。

5○　「幼児の保育内容」として、「見学、リズム、休息、自由遊び、音楽、お話、絵画、製作、自然観察、ごっこ遊び・劇遊び・人形芝居、健康保育、年中行事」の 12 項目がある。

解答・解説⑱　　答　4

1×　「保育所保育指針」第 1 章「総則」1「保育所保育に関する基本原則」(2)「保育の目標」のイにも、「保育所は、入所する子どもの保護者に対し、その意向を受け止め、子どもと保護者の安定した関係に配慮」して援助することが示されており、母親は、母子家庭での育児に自信を失っているので、保育士が一方的に叱咤激励するのではなく、母親が自信を持てるよう、育児への**共感的態度**をとることが必要である。

2×　J ちゃんが夢中になっている遊びを無理にやめさせることは、問題の解決にならないばかりか、保育士の子どもへの関わりを行動見本として保護者に見せることを通して、子どもに対する関わり方を母親に学んでもらう機会をも奪う。子どもの成長を通じて、母親と保育者との**信頼関係の構築**も必要である。

3×　この状況だけですぐに児童相談所に連絡をするのは、時期尚早である。登園、降園時や連絡帳といった日常の機会をとらえて、保育士が相談・助言を行うことが先決である。

4○　このケースは、母親の思いつめた様子を見ても保育士が早急に相談にのるべき事例であるといえる。同第 4 章「子育て支援」2「保育所を利用している保護者に対する子育て支援」(3)「不適切な養育等が疑われる家庭への支援」のアには、「保護者に**育児不安**等がみられる場合には、保護者の希望に応じて**個別の支援**を行う」ことの重要性が示されている。

5×　母親の意向も聞かず、一人での育児が困難であると決めつけるのは不適切である。このケースでは、母親から十分に話を聞くこと、さらには市町村や関係機関との連携を通じ、**子どもの福祉が尊重**されるように支援していくことが重要である。

問19 **次の文は、諸外国の教育方法・教育施策に関する記述である。不適切な記述を一つ選びなさい。**

1 レッジョ・エミリア・アプローチとは、プロジェクトと呼ばれるテーマ発展型の保育であり、教師、親、行政関係者、教育学の専門家等が支え合って子どもの活動を援助することを特徴とする、北イタリアの教育実践である。

2 シュア・スタートとは、1998年、イギリス労働党政権下において実施された経済的・社会的支援を必要とする地域への早期介入の補償保育・教育プログラムである。

3 ヘッド・スタート計画とは、1965年にアメリカで開始された、教育機会に恵まれない子どもを対象とした大がかりな就学準備教育のことである。

4 モンテッソーリ・メソッドとは、子ども自身が、深く集中し継続するように考案された「日常生活の訓練」「感覚訓練」「読み書きと算数」等の教具を選択して活動し、教師は仲介役に徹する教育法である。

5 テ・ファリキとは、1996年にフランスで作成された、保育の原理と目標の方向性を定めた共通の保育プログラムのことである。

問20 **次の文のうち、「保育所保育指針」第2章「保育の内容」の4の（2）「小学校との連携」の一部として、（a）～（d）の下線部分が正しいものを○、誤ったものを×とした場合の正しい組み合わせを一つ選びなさい。**

ア 保育所においては、保育所保育が、小学校以降の生活や学習の基盤の育成につながることに配慮し、（a）学童期にふさわしい生活を通じて、創造的な思考や主体的な（b）学習態度などの基礎を培うようにすること。

イ 保育所保育において育まれた資質・能力を踏まえ、小学校教育が円滑に行われるよう、（c）小学校教師との意見交換や合同の研究の機会などを設け、第1章の4の（2）に示す「幼児期の終わりまでに育ってほしい姿」を共有するなど連携を図り、保育所保育と小学校教育との円滑な接続を図るよう努めること。

ウ 子どもに関する情報共有に関して、保育所に入所している子どもの就学に際し、市町村の支援の下に、子どもの育ちを支えるための資料が保育所から（d）小学校へ送付されるようにすること。

（組み合わせ）

	a	b	c	d
1	×	○	○	×
2	○	○	×	×
3	×	×	×	○
4	○	×	○	○
5	×	×	○	○

解答・解説⑲　答 5

1○　**レッジョ・エミリア・アプローチ**とは、第二次世界大戦後、北イタリアのレッジョ・エミリア市の保育施設で、ローリス・マラグッツィを中心に展開された教育実践である。

2○　**シュア・スタート**は、イギリスのブレア政権下で行われた。

3○　**ヘッド・スタート計画**では、貧困家庭の幼児を対象に、身体的、知的、情緒的な発達の不利を小学校入学前に解消することで入学後の学習効果の促進が意図されていた。

4○　**モンテッソーリ・メソッド**は、「感覚教具」と呼ばれる教具を用いて、子ども自らが探求する時間を設けていることが特徴である。

5×　**テ・ファリキ**とは、**ニュージーランド**の保育統一カリキュラムのことで、4つの原則と5つの要素から成っており、具体的な実践の展開に関しては多様な保育施設に委ねられている。

解答・解説⑳　答 5

a×　正しくは「**幼児期**」が入る。

b×　正しくは「**生活態度**」が入る。

c○　正しい語句である。

d○　正しい語句である。

「保育所保育指針」第2章「保育の内容」の4の(2)「小学校との連携」からの設問である。保育所保育は、小学校以降の学校教育の先取りをする場ではなく、**幼児期にふさわしい保育**を行うことが最も肝心であることに留意しなければならない。

次の文は、「保育所保育指針」第２章「保育の内容」１「乳児保育に関わるねらい及び内容」(3)「保育の実施に関わる配慮事項」の記述である。（　A　）〜（　D　）にあてはまる語句の正しい組み合わせを一つ選びなさい。

・乳児は疾病への抵抗力が弱く、心身の機能の未熟さに伴う疾病の発生が多いことから、一人一人の発育及び発達状態や健康状態についての適切な（　A　）に基づく保健的な対応を行うこと。

・一人一人の子どもの生育歴の違いに留意しつつ、（　B　）を適切に満たし、特定の保育士が（　C　）に関わるように努めること。

・保護者との信頼関係を築きながら保育を進めるとともに、保護者からの（　D　）に応じ、保護者への支援に努めていくこと。

（組み合わせ）

	A	B	C	D
1	診断	希望	情緒的	要望
2	治療	愛情	日常的	欲求
3	治療	欲求	応答的	相談
4	判断	欲求	応答的	相談
5	判断	希望	応答的	欲求

問22　次の文のうち、「保育所保育指針」第２章「保育の内容」２「１歳以上３歳未満児の保育に関わるねらい及び内容」の（3）「保育の実施に関わる配慮事項」に関する記述として、不適切な記述を一つ選びなさい。

1　特に感染症にかかりやすい時期であるので、体の状態、機嫌、食欲などの日常の状態の観察を十分に行うとともに、適切な判断に基づく保健的な対応を心がけること。

2　探索活動が十分できるように、事故防止に努めながら活動しやすい環境を整え、全身を使う遊びなど様々な遊びを取り入れること。

3　自我が形成され、子どもが自分の感情や気持ちに気づくようになる重要な時期であることに鑑み、情緒の安定を図りながら、子どもの自発的な活動を尊重するとともに促していくこと。

4　担当の保育士が替わる場合には、子どものそれまでの経験や発達過程に留意し、職員間で協力して対応すること。

5　「幼児期の終わりまでに育ってほしい姿」が、ねらい及び内容に基づく活動全体を通して資質・能力が育まれている子どもの小学校就学時の具体的な姿であることを踏まえ、指導を行う際には適宜考慮すること。

解答・解説㉑　答　4

A－判断

B－欲求

C－応答的

D－相談

「保育所保育指針」第２章「保育の内容」１「乳児保育に関わるねらい及び内容」⑶「保育の実施に関わる配慮事項」のアとイとエの記述である。乳児期の保育については、心と体の健康に相互に密接な関連があるものであることを踏まえ、健康で安全な生活をつくり出す力の基礎を培う必要がある。また、特定の大人との応答的な関わりを通じて、情緒的な絆が形成されるといった特徴がある。これらの発達の特徴を踏まえて、乳児保育は、**愛情豊か**に、**応答的**に行われることが特に重要であることに留意する。

解答・解説㉒　答　5

１○　「保育所保育指針」第２章「保育の内容」２「１歳以上３歳未満児の保育に関わるねらい及び内容」⑶「保育の実施に関わる配慮事項」アの記述で、適切である。

２○　同イの記述で、適切である。

３○　同ウの記述で、適切である。

４○　同エの記述で、適切である。

５×　同３「３歳以上児の保育に関するねらい及び内容」⑶「保育の実施に関わる配慮事項」アの記述で、不適切である。

基本的な運動機能が発達し、排泄の自立がみられるようになり、自分の意志や欲求を言葉で表現できる等、自分でできることが増える時期である。子どもの自主性を**尊重**し、温かく見守ること、**応答的な関わり**が大切である。

問23 **次の文は、「保育所保育指針」第３章「健康及び安全」の４「災害への備え」の一部である。（　A　）～（　D　）にあてはまる語句の正しい組み合わせを一つ選びなさい。**

ア　火災や地震などの（　**A**　）に備え、緊急時の対応の具体的内容及び手順、職員の役割分担、（　**B**　）計画等に関するマニュアルを作成すること。

イ　（　**C**　）に避難訓練を実施するなど、必要な対応を図ること。

ウ　災害の発生時に、（　**D**　）等への連絡及び子どもの引渡しを円滑に行うため、日頃から保護者との密接な連携に努め、連絡体制や引渡し方法等について確認をしておくこと。

（組み合わせ）

	A	B	C	D
1	緊急事態	避難訓練	日常的	保護者
2	災害の発生	防災無線	日常的	市町村
3	災害の発生	避難訓練	定期的	保護者
4	緊急事態	避難経路	定期的	外部
5	災害の発生	避難経路	定常的	市町村

問24 **次の文は、「保育所保育指針」第５章「職員の資質向上」の一部である。（　A　）～（　C　）にあてはまる語句の正しい組み合わせを一つ選びなさい。**

・子どもの最善の利益を考慮し、人権に配慮した保育を行うためには、職員一人一人の（　**A**　）、人間性並びに保育所職員としての職務及び責任の理解と自覚が基盤となる。

・保育所においては、当該保育所における保育の（　**B**　）や各職員の（　**C**　）等も見据えて、初任者から管理職員までの職位や職務内容等を踏まえた体系的な研修計画を作成しなければならない。

（組み合わせ）

	A	B	C
1	倫理観	目標	ライフステージ
2	判断力	ねらい	キャリアパス
3	判断力	課題	キャリアパス
4	倫理観	ねらい	キャリアアップ
5	倫理観	課題	キャリアパス

解答・解説㉓　答 3

A－災害の発生

B－避難訓練

C－定期的

D－保護者

「保育所保育指針」第3章「健康及び安全」の4「災害への備え」の（2）「災害発生時の対応体制及び避難への備え」からの設問である。「児童福祉施設の設備及び運営に関する基準」第6条第1項において、「児童福祉施設においては、（略）非常災害に対する具体的計画を立て、これに対する不断の注意と訓練をするように努めなければならない」ことが定められている。また、同第2項には、「**避難及び消火に対する訓練**は、少なくとも**毎月一回**は、これを行わなければならない」とも示されており、日頃からの準備と心構えが重要である。

解答・解説㉔　答 5

A－倫理観

B－課題

C－キャリアパス

「保育所保育指針」第5章「職員の資質向上」1「職員の資質向上に関する基本的事項」（1）「保育所職員に求められる専門性」と同4「研修の実施体制等」（1）「体系的な研修計画の作成」の記述である。

問題中の「キャリアパス」とは、その職務や職位に就くまでにたどる**業務経験**や**その順序**のことである。また、個人の視点からは、将来自分が目指す保育者像を踏まえたうえで、どのように経験を積んでいくのかといった順序や計画のことを指す。質の高い保育を提供するために、保育士は明確な目標と高い意識を持って常に自己研鑽に励む必要がある。

次の文のうち、「保育所保育指針」第1章「総則」3「保育の計画及び評価」に関する記述として、適切な記述を○、不適切な記述を×とした場合の正しい組み合わせを一つ選びなさい。

A　保育所は、全体的な計画に基づき、具体的な保育が適切に展開されるよう、子どもの生活や発達を見通した短期的な指導計画と、それに関連しながら、より具体的な子どもの日々の生活に即した長期的な指導計画を作成しなければならない。

B　指導計画においては、保育所の生活における子どもの発達過程を見通し、生活の連続性、季節の変化などを考慮し、子どもの実態に即した具体的なねらい及び内容を設定する。

C　一日の生活のリズムや在園時間が異なる子どもが共に過ごすことを踏まえ、活動と休息、緊張感と解放感等の調和を図るよう配慮する。

D　長時間にわたる保育については、子どもの発達過程、生活のリズム及び心身の状態に十分配慮して、保育の内容や方法、職員の協力体制、家庭との連携などを指導計画に位置付ける。

E　障害のある子どもの保育については、一人一人の子どもの発達過程や障害の状態を把握し、適切な環境のもとで、障害のある子どもが他の子どもとの生活を通して共に成長できるよう、指導計画の中に位置付ける。

（組み合わせ）

	A	B	C	D	E
1	×	○	○	○	○
2	○	×	○	×	○
3	○	○	×	○	×
4	×	○	○	○	×
5	○	×	×	×	○

問26

次の文は、「児童福祉法」における保育士に関する記述である。不適切な記述を一つ選びなさい。

1　保育士となる資格を有する者が保育士となるには、保育士登録簿に、氏名、生年月日、その他内閣府令で定める事項の登録を受けなければならない。

2　禁錮以上の刑に処せられ、その執行を終わり、又は執行を受けることがなくなった日から起算して2年を経過しない者は保育士となることができない。

3　保育士は、専門的知識及び技術をもって、児童の保育及び児童の保護者に対する保育に関する指導を行う。

4　保育士でない者は、保育士又はこれに紛らわしい名称を使用してはならない。

5　保育士は、保育士の信用を傷つけるような行為をしてはならない。

解答・解説㉕　答　1

A×　全体的な計画に基づき、具体的な保育が適切に展開されるよう、子どもの生活や発達を見通したものが**長期的な指導計画**であり、それに関連しながら、より具体的な子どもの日々の生活に即したものが**短期的な指導計画**であるので、不適切である。「保育所保育指針」第1章「総則」3「保育の計画及び評価」(2)「指導計画の作成」アの記述となる。

B○　同ウの記述で、適切である。

C○　同エの記述で、適切である。

D○　同カの記述で、適切である。

E○　同キの記述で、適切である。

解答・解説㉖　答　2

1○　児童福祉法第18条の18の規定である。なお、保育士登録簿は都道府県に備えられ、保育士の登録をしたときは、都道府県知事が申請者に保育士登録証を交付することが定められている。

2×　2022（令和4）年6月の児童福祉法改正により、禁錮以上の刑に処せられた者は**保育士となることができない**こととなった（同法第18条の5第2号）。なお、改正刑法の施行により、禁錮刑は拘禁刑に変更となる（2025〔令和7〕年6月1日）。

3○　保育士の定義として、「この法律で、保育士とは、（略）保育士の名称を用いて、専門的知識及び技術をもつて、児童の保育及び児童の保護者に対する保育に関する指導を行うことを業とする者をいう」（同法第18条の4）とある。

4○　「保育士」という名称は**名称独占**を許されている（同法第18条の23）。

5○　同法第18条の21にある「信用失墜行為の禁止」の条文である。

次の【Ⅰ群】及び【Ⅱ群】は、「保育所保育指針」第１章「総則」４「幼児教育を行う施設として共有すべき事項」の（2）「幼児期の終わりまでに育ってほしい姿」の一部である。【Ⅰ群】の記述に続くものを【Ⅱ群】の記述から選択した場合の正しい組み合わせを一つ選びなさい。

【Ⅰ群】

A　友達と関わる中で、互いの思いや考えなどを共有し、

B　保育士等や友達と心を通わせる中で、

C　身近な環境に主体的に関わり様々な活動を楽しむ中で、

【Ⅱ群】

ア　絵本や物語などに親しみながら、豊かな言葉や表現を身に付け、経験したことや考えたことなどを言葉で伝えたり、相手の話を注意して聞いたりし、言葉による伝え合いを楽しむようになる。

イ　友達同士で表現する過程を楽しんだりし、表現する喜びを味わい、意欲をもつようになる。

ウ　しなければならないことを自覚し、自分の力で行うために考えたり、工夫したりしながら、諦めずにやり遂げることで達成感を味わい、自信をもって行動するようになる。

エ　充実感をもって自分のやりたいことに向かって心と体を十分に働かせ、見通しをもって行動し、自ら健康で安全な生活をつくり出すようになる。

オ　共通の目的の実現に向けて、考えたり、工夫したり、協力したりし、充実感をもってやり遂げるようになる。

（組み合わせ）

	A	B	C
1	イ	ウ	エ
2	ウ	ア	イ
3	オ	エ	ア
4	エ	イ	オ
5	オ	ア	ウ

解答・解説㉗ 答 5

Aオ 「保育所保育指針」第1章「総則」4「幼児教育を行う施設として共有すべき事項」の（2）「幼児期の終わりまでに育ってほしい姿」のウ「**協同性**」の一文である。

Bア 同ケ「**言葉による伝え合い**」の一文である。

Cウ 同イ「**自立心**」の一文である。

なお、［Ⅱ群］の選択肢イは同コ「豊かな感性と表現」の記述、選択肢エは同ア「健康な心と体」の記述である。

アドバイス

保育所保育指針では、保育所における保育活動の全体を通して資質・能力が育まれた場合の小学校就学時に予想される具体的な姿が以下のように示されている。

●幼児期の終わりまでに育ってほしい姿●

ア 健康な**心**と**体**
イ **自立心**
ウ **協同性**
エ **道徳性・規範意識**の芽生え
オ **社会生活**との関わり
カ **思考力**の芽生え
キ **自然**との関わり・**生命**尊重
ク **数量**や**図形**、**標識**や**文字**などへの関心・感覚
ケ **言葉**による伝え合い
コ 豊かな**感性**と**表現**

問28 次の文は、「保育所保育指針」に関する記述である。適切な記述を○、不適切な記述を×とした場合の正しい組み合わせを一つ選びなさい。

A 第１章「総則」には、「保育所保育に関する基本原則」が記載されている。

B 第２章「保育の内容」には、「幼児教育を行う施設として共有すべき事項」が記載されている。

C 「乳児保育に関わるねらい及び内容」は、健康・人間関係・環境・言葉・表現・養護の領域によって示されている。

D 「養護に関する基本的事項」は、第１章「総則」に記載されている。

（組み合わせ）

	A	B	C	D
1	○	×	×	○
2	×	○	○	○
3	×	×	○	×
4	○	○	×	○
5	○	×	○	×

問29 次の保育所での【事例】を読んで、【設問】に答えなさい。

【事例】

Ｎちゃんは、先月入所した３歳児である。母親は外国の出身で、保育士や他の保護者と挨拶や簡単な会話はできるが、日本語の読み書きは得意でない。連絡帳や学級通信も読むことが難しい様子で、担任や園からの連絡が家庭に伝わっていないことがあった。Ｎちゃん自身も言葉の獲得途中で、自分の気持ちを周囲に伝えたり説明を理解したりすることが難しいこともある。

【設問】

「保育所保育指針」第２章「保育の内容」、第４章「子育て支援」に基づいた保育士の対応として、不適切な記述を一つ選びなさい。

1 Ｎちゃんの心身の状態を踏まえて、保育士が個別的に支援する。

2 学級通信を母親の母語に翻訳してもらうために、通訳ボランティア団体に協力を依頼する。

3 日本語の読み書きが不得手である母親のために、イラストや写真で連絡を伝えようとする。

4 Ｎちゃんの保育所での姿について、できないことも含めて様々な姿を送迎時に母親に伝えようとする。

5 母親に、家庭でできるだけ日本語を使って会話するように依頼する。

解答・解説㉘ 答 1

A○ 「保育所保育指針」第1章「総則」1「保育所保育に関する基本原則」には、保育所の役割、保育の目標、保育の方法、保育の環境、保育所の社会的責任が記載されている。いずれも保育士試験では頻出分野である。

B× 「幼児教育を行う施設として共有すべき事項」の記載があるのは、第1章「総則」である。「幼稚園教育要領」及び「幼保連携型認定こども園教育・保育要領」にも同様の内容があり、3歳以上児の保育に関して統一性が図られている。

C× 乳児保育は、身体的発達に関する視点の「**健やかに伸び伸びと育つ**」、社会的発達に関する視点の「**身近な人と気持ちが通じ合う**」、精神的発達に関する視点の「**身近なものと関わり感性が育つ**」の3つの視点で示されている。

D○ 養護に関わるねらい及び内容は、第1章「総則」1の(2)「保育の目標」のアの(ア)「十分に養護の行き届いた環境の下に、くつろいだ雰囲気の中で子どもの様々な欲求を満たし、生命の保持及び情緒の安定を図ること」を具体化したものである。養護は、「**生命の保持**」と「**情緒の安定**」に分けて示されている。

解答・解説㉙ 答 5

1○ 入所して間もないこともあり、Nちゃんのペースで園生活に慣れることを優先する。「保育所保育指針」第2章「保育の内容」4「保育の実施に関して留意すべき事項」(1)「保育全般に関わる配慮事項」のエには、**子どもが安定感を得て、次第に保育所の生活になじむように個別の対応が必要**であることが示されている。

2○ 同第4章「子育て支援」3「地域の保護者等に対する子育て支援」(2)「地域の関係機関等との連携」のアには、「子育て支援に関する**地域の人材**と積極的に**連携を図る**よう努めること」と示されている。

3○ 保護者や家庭の状況に応じた対応であり、適切。同第4章2「保育所を利用している保護者に対する子育て支援」(2)「保護者の状況に配慮した個別の支援」のウにも示されている。

4○ 子どもの保育所での様子を伝えることにより、保護者に子育ての喜びが感じられるように努める。できないことをマイナスととらえるのではなく、様々な経験を通して成長しているNちゃんの姿を**共有できるような支援**として適切である。同第4章の2「保育所を利用している保護者に対する子育て支援」(1)「保護者との相互理解」のアに記載がある。

5× 同第2章「保育の内容」4「保育の実施に関して留意すべき事項」(1)「保育全般に関わる配慮事項」のオに「**子どもの国籍や文化の違いを認め**、互いに尊重する心を育てるようにすること」と示され、一方的に日本語や日本の文化を押し付けることは適切ではない。

問30 **次の文のうち、「保育所保育指針」第１章「総則」２「養護に関する基本的事項」(2)「養護に関わるねらい及び内容」の一部として、適切な記述を○、不適切な記述を×とした場合の正しい組み合わせを一つ選びなさい。**

A　一人一人の子どもの平常の健康状態や発育及び発達状態を的確に把握し、異常を感じる場合は、速やかに適切に対応する。

B　一人一人の子どもの気持ちを受容し、共感しながら、子どもとの継続的な信頼関係を築いていく。

C　保育士等との信頼関係を基盤に、一人一人の子どもが主体的に活動し、自発性や探索意欲などを高めるとともに、自分への自信をもつことができるよう成長の過程を見守り、適切に働きかける。

D　一人一人の子どもの置かれている状態や発達過程などを的確に把握し、子どもの欲求を適切に満たしながら、応答的な触れ合いや言葉がけを行う。

E　子どもの発達過程等に応じて、適度な運動と休息を取ることができるようにする。また、食事、排泄、衣類の着脱、身の回りを清潔にすることなどについて、子どもが意欲的に生活できるよう適切に援助する。

（組み合わせ）

	A	B	C	D	E
1	○	○	×	×	×
2	×	×	○	○	×
3	○	×	×	×	○
4	×	○	○	×	○
5	○	○	○	○	○

解答・解説㉚　　答　5

A○　「保育所保育指針」第１章「総則」２「養護に関する基本的事項」の (2)「養護に関わるねらい及び内容」のア「生命の保持」(イ) 内容①の記述として適切である。

B○　同イ「情緒の安定」の（イ）内容②の記述として適切である。

C○　乳幼児の発達としては、まず身近な大人との信頼関係を築くことによって次第に自発性や自立心が育っていく。同イ「情緒の安定」の（イ）内容③の記述である。

D○　同イ「情緒の安定」の（イ）内容①の記述である。

E○　同ア「生命の保持」の（イ）内容④の記述として適切である。

養護は保育所保育の根幹であり、保育活動全般において重要なものである。「養護に関わるねらい及び内容」には、保育所保育の特性が、**養護と教育を一体的**に行うことにあるという基本的原則が示されている。

子ども家庭福祉

子ども家庭福祉

正答数　1回目 ／30　2回目 ／30

問1 **次の文は、日本の児童福祉の歴史に関する記述である。不適切な記述を一つ選びなさい。**

1　岡村重夫は、日本の地域福祉は可能な限り地域で解決することを目指した人物である。

2　石井十次は、日本で初めての孤児院である岡山孤児院を設立した。

3　留岡幸助は、教育に重点を置いた感化施設「家庭学校」を創設した。

4　野口幽香は、新潟静修学校を設立し、そこに併設された保育所は日本初の保育所とされている。

5　高木憲次は、日本初の肢体不自由児施設である整肢療護園を開設した。

問2 **次の文は、「こども家庭庁」についての記述である。不適切な記述を一つ選びなさい。**

1　こども家庭庁は３つの部門で構成されている。

2　こども家庭庁は内閣総理大臣の直属の機関である。

3　こども家庭庁が行う「こども若者★いけんぷらす」は、子どもや若者が様々な方法で自分の意見を表明し、社会に参加することができる、新しい取り組みである。

4　子ども関連施設（保育所、認定こども園、幼稚園）の管轄はこども家庭庁である。

5　就学前の子どもの育ちや放課後の子どもの居場所についても、こども家庭庁が主導する。

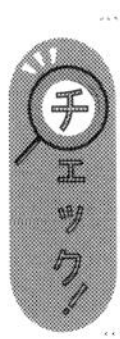

子ども家庭福祉の歴史の中でも、特に子どもの利益や権利を守るための法制度や取り組み、関連の深い人物、及びその功績については必ず押さえておこう。児童虐待や子育て支援についても、出題頻度が高くなっているため、時間をかけて学習しておく必要がある。

解答・解説❶ 答 4

1○ 岡村重夫は、**地域福祉をコミュニティケア、一般的地域組織化と福祉組織化、予防的社会福祉の3つに構成したことでも有名である**。

2○ **石井十次**は、日本で初めての孤児院である岡山孤児院を設立し、1,000人以上の孤児を無制限に受け入れる「無制限収容主義」が有名である。

3○ 留岡幸助は、懲罰ではなく教育に重点を置いた**児童感化施設である家庭学校を東京巣鴨に創設**した。

4× **野口幽香**は、森島峰と共に貧困層に向けた二葉幼稚園（1916〔大正5〕年に二葉保育園に名称変更）を開設し現在の保育園の原型を作った人物である。新潟静修学校を設立した人物は**赤沢鍾美**である。

5○ **高木憲次**は、1932（昭和7）年肢体不自由児のための光明学校を開設、1942（昭和17）年には日本初の肢体不自由児施設である整肢療護園を開設した。

解答・解説❷ 答 4

1○ こども家庭庁長官の下に、内部部局として「**企画立案・総合調整**部門」「**成育**部門」「**支援**部門」が構成されている。

2○ 文部科学省、厚生労働省、内閣府は内閣の一組織であり、こども家庭庁は**内閣総理大臣の直属の機関**として、内閣府の**外局**に位置付けられている。

3○ 小学1年生から20代であれば、**だれでも、いつでも登録できる**。ただし16歳未満である場合は、保護者もしくは責任のある成人に登録・取り組みへの参加の同意をもらうこととしている。

4× 保育所（厚生労働省）、認定こども園（内閣府）はこども家庭庁へ移管され、**幼稚園（文部科学省）は連携**となっている。

5○ これまで司令塔となる役割が不在だった就学前の子どもの育ちや、放課後の子どもの居場所についても**こども家庭庁が主導**となる。

問3 **次の文は、児童相談所に関する記述である。適切な記述を○、不適切な記述を×とした場合の正しい組み合わせを一つ選びなさい。**

A 児童相談所が受けた児童虐待を相談種別でみると、最も多くを占めるのは身体的虐待である。

B 2021（令和３）年度の児童相談所における相談の種別で多かったのは性格行動、しつけ、適性、不登校に関する育成相談であった。

C 児童相談所には、必要に応じて、児童を一時保護する施設が設けられている。

D 児童相談所は、児童に関する相談や通告は受け付けるが、家庭裁判所からの児童の送致は受け付けない。

（組み合わせ）

	A	B	C	D
1	×	×	×	○
2	○	○	○	×
3	×	×	○	×
4	○	×	×	○
5	×	○	○	×

問4 **次の文は、「児童の権利に関する条約」に規定される権利の内容である。不適切な記述を一つ選びなさい。**

1 児童は、表現の自由についての権利を有する。この権利には、あらゆる種類の情報及び考えを求め、受け及び伝える自由を含む。

2 締約国は、児童がその父母の意思に反してその父母から分離されないことを確保する。

3 締約国は、児童の養育及び発達について父母が共同の責任を有するという原則についての認識を確保するために最善の努力を払う。

4 父母の一方又は双方から分離されている児童は、虐待の防止のため、父母と直接の接触を維持する権利は有していない。

5 この条例において負う義務の履行の達成に関する締約国による進捗の状況を審査するため、児童の権利に関する委員会を設置する。

解答・解説③　答 3

A× 「令和4年度 児童相談所における児童虐待相談対応件数（速報値）」によると、児童虐待相談の対応件数は219,170件である。これを相談種別でみると、「**心理的虐待**」が129,484件と最も多く、次いで「身体的虐待」が51,679件である。

B× 「令和3年度福祉行政報告例の概況」（2023〔令和5〕年　厚生労働省）の2021（令和3）年度中の児童相談所における相談の種別においては、養護相談283,001件、障害相談203,619件、育成相談41,534件であった。

C○ 児童福祉法第12条の4に規定されている。2024（令和6）年4月1日現在、児童相談所数は234か所、一時保護所数155か所であり、約**6**割の児童相談所に一時保護所が設置されている（こども家庭庁「児童相談所一覧」）。

D× 児童相談所は家庭その他からの**相談**のうち、専門的な知識及び技術を必要とするものに応じるほか、地域住民や関係機関からの**通告**、福祉事務所や家庭裁判所からの児童の**送致**も受け付けている（児童福祉法第26条）。

解答・解説④　答 4

1○ この権利の行使については、一定の制限を課することができる。ただし、その制限は法律によって定められ、かつ（a）他の者の権利又は信用の尊重、又は（b）国の安全、公の秩序又は公衆の健康若しくは道徳の保護のために必要とされるものに限る（児童の権利に関する条約第13条）。

2○ 親子の分離は、権限のある当局が司法の審査に従うことを条件に、法律や手続に従ってその分離が**児童の最善の利益**のために必要であると決定する場合に限られる（同条約第9条）。

3○ **父母**又は場合により法定保護者は、児童の養育及び発達についての第一義的な責任を有する。児童の最善の利益は、これらの者の基本的な関心事項となるものとする（同条約第18条）。

4× 同条約第9条3において、「締約国は、児童の最善の利益に反する場合を除くほか、父母の一方又は双方から分離されている児童が定期的に父母のいずれとも人的な関係及び**直接の接触を維持する権利を尊重する**」と明記されている。

5○ 「児童の権利に関する条約」第2部第43条には、締約国による条約履行の進捗状況を審査するため、「児童の権利に関する委員会」が設置されている。

次の文は、母子保健行政に関する記述である。適切な記述を○、不適切な記述を×とした場合の正しい組み合わせを一つ選びなさい。

A 母子健康手帳は、市町村に妊娠の届出をした者に都道府県が交付している。

B 母子健康手帳には、妊娠から３歳までの母と子の健康・成長記録と、予防接種の内容が記録されている。

C 市町村は、「満１歳６か月を超え満２歳に達しない幼児」及び「満３歳を超え満４歳に達しない幼児」への健康診査を担う。

D 母子保健法に従い、都道府県知事は、区域内の未熟児に対して、養育上必要があるときに保健師、助産師等を訪問させて必要な指導を行うことができる。

E 「産後ケア事業」は各市町村において努力義務と規定されている。

（組み合わせ）

	A	B	C	D	E
1	○	○	○	○	×
2	×	○	×	×	○
3	×	×	○	×	○
4	×	×	×	○	○
5	○	×	○	×	×

問 6

次の文は「市区町村子ども家庭総合支援拠点」設置運営要綱に関する記述である。不適切な記述を一つ選びなさい。

1 市区町村子ども家庭総合支援拠点の整備については、児童福祉法に位置付けられている。

2 児童相談所が虐待相談を受けて対応したケースのうち多くは、在宅支援となっているが、その後に重篤な虐待事例が生じる場合が少なくない実態である。

3 子ども家庭総合支援の役割は、すべての子どもの権利を擁護するために、子どもの福祉に関する支援等に係る業務を行うことである。

4 子ども家庭総合支援の業務は、養育上必要があるときに相談・訪問指導が行われる。

5 支援の対象者は、管内に所在するすべての子どもとその家庭（里親及び養子縁組を含む。）及び妊産婦等を対象とする。

解答・解説⑤　答　3

A×　妊娠した者には、**市町村**に妊娠の届出を義務付けている。市町村は、妊娠の届出をした者に対して、母子健康手帳を交付する（母子保健法第15、16条）。

B×　母子健康手帳は、主に**妊娠から小学校入学前まで**の健康と成長の記録である。子どもの予防接種を記録する欄などが設けられている。

C○　いわゆる「**1歳6か月健康診査**」と「**3歳児健康診査**」の法律上の記述内容である。これらの健康診査は、内閣府令に従って市町村による実施が義務付けられている（同法第12条）。

D×　同法第19条に規定される「未熟児の訪問指導」に関する記述である。同法の規定により、**市町村長**は、保健師や助産師等を訪問させて未熟児に関する必要な指導を行うことができる。

E○　産後ケアを必要とする出産後1年を経過しない女子及び乳児に対して、心身のケアや育児のサポート等（産後ケア）を行い、産後も安心して子育てができる支援体制を確保する「産後ケア事業」は各市町村において努力義務と規定されている。

解答・解説⑥　答　4

1○　2016（平成28）年に成立した児童福祉法改正法において、市区町村は、子どもが心身ともに健やかに育成されるよう、基礎的な地方公共団体として、子ども及び妊産婦の福祉に関し、必要な実情の把握に努め、情報の提供を行い、家庭その他からの相談に応じ、調査及び指導を行うとともに、その他の必要な支援に係る業務を適切に行わなければならないことが明確化された。

2○　児童相談所が虐待相談を受けて対応したケースのうち多くは、施設入所等の措置を採るに至らず在宅支援となっているが、その後に重篤な虐待事例が生じる場合が少なくない実態がある。

3○　市区町村は、すべての子どもの権利を擁護するために、子どもの最も身近な場所における子どもの福祉に関する支援等に係る業務を行うことが役割・責務とされている 。

4×　子ども家庭総合支援の業務は、子どもとその家庭及び妊産婦等を対象に、実情の把握、子ども等に関する相談全般から通所・在宅支援を中心としたより専門的な相談対応や必要な調査、訪問等による**継続的**なソーシャルワーク業務までを行うことが求められている。

5○　市区町村（支援拠点）は、管内に所在するすべての子どもとその家庭（里親及び養子縁組を含む。）及び**妊産婦等**を対象とする。

問7 次の文は、子育て支援事業に関する記述である。適切な記述を○、不適切な記述を×とした場合の正しい組み合わせを一つ選びなさい。

A 子育て援助活動支援事業では、病児・病後児の預かり、早朝・夜間等の緊急時の預かり、宿泊を伴う預かりを行うことができる。

B 乳児家庭全戸訪問事業は、母子保健法に基づく訪問指導である。

C 地域子育て支援拠点事業では、原則として月1回以上の子育て及び子育て支援に関する講習等を行わなければならない。

D 家事や家族の世話、介護、感情面のサポートなどを行っている子どもをヤングケアラーという。

E 子育て短期支援事業の短期入所生活援助（ショートステイ）事業において、転勤、出張や学校等の公的行事への参加は、いずれも事業利用の理由となる。

（組み合わせ）

	A	B	C	D	E
1	○	×	○	×	○
2	×	○	○	○	×
3	○	×	○	○	○
4	○	×	×	×	○
5	×	○	×	○	×

問8 次の文は、育児休業制度に関する記述である。適切な記述を○、不適切な記述を×とした場合の正しい組み合わせを一つ選びなさい。

A 父母ともに育児休業を取得する場合は1歳2か月まで延長が可能である。

B 産後パパ育休（出生児育児休業）は、子の出生後8週間以内に2週間まで取得できる。

C 従業員数1,000人超の企業は、育児休業等の取得の状況を年1回公表することが義務付けられる。

D 夫婦で育児休業を取得する場合、どちらか一方に育児休業給付金が支給される。

（組み合わせ）

	A	B	C	D
1	○	○	×	○
2	○	×	○	×
3	○	○	○	×
4	×	○	×	○
5	×	×	○	○

解答・解説 ⑦　　答　3

A○　子育て援助活動支援事業の「病児・緊急対応強化事業」に関する内容である（「子育て援助活動支援事業実施要綱」3（2））。子育て援助活動支援事業は**ファミリー・サポート・センター事業**とも呼ばれている。

B×　乳児家庭全戸訪問事業は乳児のいるすべての家庭が対象であり、子育て支援に関する情報提供や養育環境等の把握を行い、必要なサービスにつなげる**児童福祉法**に基づく事業である。一方で、**母子保健法**に基づく訪問指導は、母子保健の観点から乳幼児のいる家庭を対象として、必要な保健指導等を行う事業である（「乳児家庭全戸訪問事業実施要綱」1、「同事業ガイドライン」4）。

C○　地域子育て支援拠点事業の基本事業は「子育て親子の交流の場の提供と交流の促進」「子育て等に関する相談、援助の実施」「地域の子育て関連情報の提供」「子育て及び子育て支援に関する講習等の実施（月1回以上）」の4つであり、すべて実施する（ただし、小規模型指定施設を除く）（「地域子育て支援拠点事業実施要綱」4（1））。

D○　**ヤングケアラー**については、2022（令和4）年度から3年間を「集中取組期間」として、中・高校生の認知度5割を目指し社会的認知度の向上に取り組むとともに、自治体による実態調査や研修を支援することとしている。

E○　短期入所生活援助事業の対象となるのはほかに、「児童の保護者の疾病」「育児疲れ、慢性疾患児の看病疲れ、育児不安など身体上又は精神上の事由」「出産、看護、事故、災害、失踪など家庭養育上の事由」「冠婚葬祭への参加など社会的な事由」「経済的問題等により緊急一時的に母子保護を必要とする場合」であり、養育・保護の期間は原則**7日以内**である（「子育て短期支援事業実施要綱」3（1））。

解答・解説 ⑧　　答　2

A○　父母ともに育児休業を取得する場合は、子が1歳2か月に達するまでの間の1年間（パパ・ママ育休プラス）は申し出により育児休業の取得が可能である。

B×　男性の**育児休業取得を促進**するために子の出生後8週間以内に4週間まで、2回に分割して取得することが可能である。

C○　公表内容は、男性の「育児休業等の取得率」または「育児休業等と育児目的休暇の取得率」とし、自社のホームページ等のほか、厚生労働省が運営するウェブサイト「両立支援のひろば」で公表することなどを義務付けている。

D×　夫婦で育児休業を取得する場合、どちらにも**育児休業給付金**が支給される。

問 9 **次のうち、児童養護施設に設置される職種として誤っているものを一つ選びなさい。**

1 家庭支援専門相談員

2 保育士

3 心理療法担当職員

4 個別対応職員

5 母子支援員

問 10 **次の文は、病児保育事業に関する記述である。適切な記述を○、不適切な記述を×とした場合の正しい組み合わせを一つ選びなさい。**

A 実施主体は、都道府県であり、知事が認めた者が委託等を行うことができる。

B 事業類型は、病児対応型・病後児対応型、体調不良児対応型、非施設型（訪問型）である。

C 病児保育事業の対象児童は、市町村が必要と認めた乳児・幼児が対象であり、小学校に就学している児童は対象にならない。

D 体調不良児対応型の実施に際しては、看護師等を１名以上配置し、預かる体調不良児の人数は、看護師等１名に対して２人程度とすること。

（組み合わせ）

	A	B	C	D
1	○	○	×	○
2	○	×	○	×
3	○	○	○	×
4	×	○	×	○
5	×	×	○	○

解答・解説⑨　答 5

1○　家庭支援専門相談員は、児童養護施設等において児童の養育に5年以上従事した者又は児童福祉法第13条第3項各号のいずれかに該当する者等でなければならない。その他、乳児院、児童心理治療施設、児童自立支援施設等に配置される。

2○　児童養護施設における保育士の役割は、子どもを保育するとともに、基本的生活習慣・経済観念・社会性、健康管理などの目標設定を行うことである。

3○　心理療法担当職員は、虐待などにより心的外傷を受けた児童や母子に対して、心理療法を用いて回復と自立を支援する。児童養護施設では、心理療法を行う必要がある児童が10人以上で配置される。その他、児童自立支援施設、乳児院、児童心理治療施設、母子生活支援施設等に設置される。

4○　個別対応職員を配置する施設は、児童養護施設、乳児院、児童心理治療施設、児童自立支援施設及び母子生活支援施設等である。配置施設の規定のみで資格要件の記載はない。

5×　**母子支援員**は、母子生活支援施設において、配偶者（夫）との離婚や死別によって困窮に陥ったり、配偶者による暴力などで家を出ざるを得なくなった、18歳未満の子どもを持つ女性に対して、自立のための就職支援や育児相談を行うほか、法的な手続きや福祉事務所など関係各機関との連絡調整などを担当することができる。

解答・解説⑩　答 4

A×　実施主体は、**市町村**（特別区及び一部事務組合を含む）であるが、市町村が認めた者へ委託等を行うことができる。

B○　事業類型は、病児対応型・病後児対応型（病院・保育所等に付設された専用スペース等において看護師等が一時的に保育）、体調不良児対応型（保育中の体調不良児について、一時的に預かるほか、保育所入所児に対する保健的な対応や地域の子育て家庭や妊産婦等に対する相談支援）、非施設型（訪問型）（地域の病児・病後児について、看護師等が保護者の自宅へ訪問し、一時的に保育）に分けられる。

C×　病児保育事業では、病児対応型・病後児対応型を例にとっても、**小学生**は**乳児・幼児**とともに**対象児童**となる。

D○　保育所又は医務室が設けられている認定こども園、小規模保育事業所、保育所の医務室、余裕スペース等で、衛生面に配慮されており、対象児童の安静が確保されている場所で実施することとされている。

問11 **次のうち、「障害児支援の体系」に関する記述として、正しいものを三つ選びなさい。**

1 児童発達支援とは、日常生活における基本的な動作の指導、知識技能の付与、集団生活への適応訓練などの支援及び治療を行う支援を居宅において提供している。

2 放課後等デイサービスは、就学している障害児に、生活能力の向上のために必要な訓練、社会との交流の促進その他の便宜を供与することとされている障害児通所支援施設である。

3 児童自立生活援助とは、義務教育を終了する前に、自立援助ホームにおいて、相談その他日常生活上の援助、生活指導、就業の支援を行う援助である。

4 児童発達支援とは、発達障害、知的障害、難聴、肢体不自由、重症心身障害等の障害のある子どもへの発達支援やその家族に対する支援を行う、障害児通所支援施設である。

5 居宅訪問型児童発達支援とは、重度の障害等の状態にある障害児であって、障害児通所支援を利用するために外出することが著しく困難な障害児に対し、障害児の居宅を訪問して発達支援を居宅において提供している。

問12 **次の文は、放課後児童健全育成事業についての記述である。適切な記述を一つ選びなさい。**

1 放課後児童健全育成事業は、保育所又は認定こども園を利用し、その保護者が就労等により昼間家庭にいない児童も対象にしている。

2 2022（令和 4）年現在、「新・放課後子ども総合プラン」に基づき、放課後児童クラブについては整備がされているため、待機児童数は減少している。

3 放課後児童クラブは、「児童館・児童センター」に設置されている割合が最も高く、「学校の余裕教室」あるいは「学校敷地内の独立専用施設」よりも多い。

4 運営主体が公営の放課後児童クラブは、小学校の空き教室が増えているため増加している。

5 放課後児童健全育成事業者は、放課後児童健全育成事業所ごとに放課後児童支援員を置かなければならない。

解答・解説⑪　答　2、4、5

1× 児童発達支援とは、日常生活における基本的な動作の指導、知識技能の付与、集団生活への適応訓練などの支援及び治療を行う、**障害児通所支援施設**である。

2○ 放課後等デイサービスは、児童福祉法（昭和 22 年法律第 164 号）に位置付けられており、就学している障害児に、生活能力の向上のために必要な訓練、社会との交流の促進その他の便宜を供与することとされている障害児通所支援施設である。

3× 児童自立生活援助とは、義務教育を**終了した満 20 歳未満**の児童であって、児童養護施設を退所した者又はその他の都道府県知事が必要と認めた者あるいは満 20 歳以上の措置解除者等で高等学校の生徒、大学生その他のやむを得ない事情により都道府県知事が必要と認めた者に対し、これらの者が共同生活を営む住居（自立援助ホーム）において、相談その他日常生活上の援助、生活指導、就業の支援を行う。

4○ 児童発達支援とは、発達障害、知的障害、難聴、肢体不自由、重症心身障害等の障害のある子どもへの発達支援やその家族に対する支援を行う、障害児通所支援施設である。

5○ 重度の障害等により、障害児通所支援を利用するために外出することが著しく困難な障害児を対象にした支援を居宅において提供している。

解答・解説⑫　答　5

1× 保護者が労働等により昼間家庭にいない**小学校に就学している児童**に対して、授業の終了後等に、小学校の余裕教室、児童館等を利用して適切な遊び及び生活の場を与えて、その健全な育成を図るものである（放課後児童健全育成事業実施要綱）。

2× 2023（令和 5）年 5 月現在、放課後児童クラブ数は 25,807 か所、待機児童数は 16,276 人であり、2022（令和 4）年の 15,180 人と比べると 1,096 人**増加**している（2023〔令和 5〕年放課後児童健全育成事業〔放課後児童クラブ〕の実施状況）。

3× 同調査結果によると、設置場所は、**小学校内**での合計が約 52%（学校の余裕教室が約 27%、学校敷地内の独立専用施設が約 25%）であり、児童館・児童センターが約 9%である。

4× 放課後児童クラブと放課後子供教室の両事業の計画的な整備は推進されてきているが、2023（令和 5）年現在、同調査結果によると、運営主体の内訳は公営が 26%、公立民営のクラブが 50%、民立民営が 24%を占めている。

5○ 放課後児童支援員の数は、支援の単位ごとに **2** 人以上とする。ただし、その 1 人を除き、補助員をもって代えることができる（「放課後児童健全育成事業の設備及び運営に関する基準」第 10 条）。

問13 **次の文は、こども家庭センターに関する記述である。適切な記述を○、不適切な記述を×とした場合の正しい組み合わせを一つ選びなさい。**

A　市町村は、こども家庭センターの設置に努めなければならない。

B　こども家庭センターの業務は、こども等に関する相談等（児童福祉機能）が主である。

C　サポートプランは、保健師がこどもや保護者との面談内容をもとに作成される。

D　こども家庭センターには、センター長1名、母子保健及び児童福祉双方の業務について十分な知識を有し、俯瞰して判断することのできる統括支援員を1か所あたり1名配置されている。

（組み合わせ）

	A	B	C	D
1	○	×	×	○
2	○	×	○	×
3	○	○	○	×
4	×	○	×	○
5	×	×	○	○

問14 **次の文は、「令和4年版子供・若者白書」における子ども・若者を地域で支える担い手に関する記述である。適切な記述を○、不適切な記述を×とした場合の正しい組み合わせを一つ選びなさい。**

A　保護司は、法務大臣から委嘱された非常勤の国家公務員である。

B　2023（令和5）年3月31日現在、全国に更生保護施設は103施設あるが、このうち少年を対象とする施設は14施設である。

C　人権問題に対処するため、法務大臣は、当該分野に精通した特定の世代・分野の出身者に限って人権擁護委員を委嘱している。

D　児童委員は、民生委員との兼務であり、厚生労働大臣から委嘱される。

E　母子保健推進員の委嘱は、市町村長が行う。

（組み合わせ）

	A	B	C	D	E
1	○	×	×	○	○
2	○	○	×	×	○
3	○	×	○	○	○
4	×	○	×	×	×
5	×	○	○	○	×

解答・解説⑬

A○　市町村は子育て世代包括支援センターと市区町村子ども家庭総合支援拠点を見直し、全ての妊産婦、子育て世帯、こどもへ一体的に相談支援を行う機能を有する機関（**こども家庭センター**）の設置に努めるとされている。

B×　こども家庭センターにおいては、子ども家庭支援員等が中心となって行うこども等に関する相談等（**児童福祉機能**）だけでなく、保健師等が中心となって行う各種相談等（**母子保健機能**）を一体的に行うとされている。

C×　サポートプランについては、こどもや保護者との面談の場等において協働して作成することや、当事者と共有することが重要である。

D○　こども家庭センターの実施体制においては、組織全体のマネジメントができる責任者である**センター長**１名、母子保健及び児童福祉双方の業務について十分な知識を有し、俯瞰して判断することのできる**統括支援員**を１か所あたり１名配置するとしている。

解答・解説⑭

A○　保護司は、民間人としての柔軟性と地域の実情に通じているという特性を生かし、社会内処遇の専門家である保護観察官と協働して、保護観察、生活環境の調整、地域社会における犯罪予防活動に当たる職種である。

B×　少年を対象とする施設は 85 施設ある。更生保護施設は「**更生保護事業法**」を根拠法とする施設であり、保護者がいないなどの理由で改善更生が困難な少年院仮退院者や保護観察中の少年を保護し、各種の生活指導や宿泊場所の供与、食事の給与、就労の援助等を行うことにより、その自立更生を支援している。

C×　**法務大臣**は、人権擁護委員を委嘱しており、2023（令和 5）年１月現在、全国に約 14,000 人の人権擁護委員がいる。子どもや若者に関する人権問題は、いじめや体罰、児童虐待、児童買春等、その対象や問題背景は多岐にわたる。

D○　児童委員は、民生委員が兼ねており、2022（令和 4）年 12 月時点において、全国で約 23 万人が**厚生労働大臣**から委嘱されている。子どもと妊産婦の生活の相談役として保護・援助・指導等を行うとともに関係機関等と連携した活動を行っている。

E○　母子保健推進員は、**市町村長**の委嘱を受け、母性と乳幼児の健康の保持増進のため、家庭訪問による母子保健事業の周知、声掛け、健康診査や各種教室への協力をはじめ、地域の実情に応じた独自の子育て支援と健康増進のための啓発活動を行っている。

問15 **次の文は、養育支援訪問事業に関する記述である。適切な記述を一つ選びなさい。**

1　本事業は、第一種社会福祉事業としての届出等が必要である。

2　本事業の対象は、生後４か月までの乳児のいるすべての家庭である。

3　本事業の実施にあたっては、母子保健担当部署・児童福祉担当部署を中核機関として定める。

4　本事業で、養育に関する指導、助言等を行うのは、保健師、助産師に限られる。

5　本事業は、児童が児童養護施設等を退所後にアフターケアを必要とする家庭等に対する相談・支援を行う。

問16 **次の文は、子どもや家庭の動向に関する記述である。適切な記述を○、不適切な記述を×とした場合の正しい組み合わせを一つ選びなさい。**

A　現在の日本の人口構成は、高齢者が増えて子どもが減る「少子高齢化」が進んでいる。

B　婚姻・離婚・再婚数の年次推移では、離婚件数は概ね横ばいであるが、婚姻件数に占める再婚の割合が高まっている。

C　生涯未婚率の平均値で50歳の時点で一度も結婚をしたことのない人の割合では、女性が高い。

（組み合わせ）

	A	B	C
1	○	○	×
2	×	○	○
3	○	×	○
4	○	×	×
5	×	○	×

解答・解説⑮　答　5

1× 養育支援訪問事業は、第二種社会福祉事業として児童福祉法等に従い適切に事業開始の届出を行うとともに、**都道府県**の**指導監督**を受ける必要がある（「養育支援訪問事業ガイドライン」10）。

2× 対象となるのは、乳児家庭全戸訪問事業の実施結果や関係機関からの連絡・通告等により把握された「養育支援が特に必要であって、本事業による**支援が必要と認められる**家庭の児童及びその養育者」である（「同ガイドライン」2）。

3× 母子保健担当部署・児童福祉担当部署を**中核機関とする定めはない**。ケース管理を効率的に行う観点から、要保護児童対策地域協議会が設置されている場合には、可能な限り中核機関と協議会を同一とすることが適当であることが示されている（「同ガイドライン」3）。

4× 厚生労働省「養育支援訪問事業の実施状況調査」には、**保健師**、**助産師**のほか、**看護師**、**母子保健推進員**、**保育士**、**児童委員・民生委員**、**子育て経験者**、**スクールソーシャルワーカー**等による訪問実績が報告されている。

5○ 児童養護施設等の退所または里親委託の終了により児童が復帰した後の家庭に対して、家庭復帰が適切に行われるための相談・支援を行う。

解答・解説⑯

答　1

A○ 現在の日本は高齢化率（65歳以上の人口の比率）は2023（令和5）年で29.1%と3.5人に1人以上が高齢者となっており、世界的にみて**極めて高水準**である。

B○ 「男女共同参画白書」2022（令和4）年版では、離婚件数は概ね横ばいであるが、婚姻件数に占める**再婚**の割合が高まり、全体の4分の1以上を占めている。

C× 「男女共同参画白書」2022（令和4）年版では、女性約18%、男性約28%で男性が高くなっている。

問17 **次のうち、児童福祉施設等に関する記述として、正しいものを二つ選びなさい。**

1 児童心理治療施設は、児童に健全な遊びを与えて、その健康を増進し、又は情操をゆたかにすることを目的とする施設である。

2 都道府県は、里親の行う養育について、基準を定めなければならない。

3 母子生活支援施設には、父子の入所が認められていない。

4 福祉型障害児入所施設は、障害児を入所させ、保護、日常生活の指導、独立自活に必要な知識技能の付与及び治療を行うことを目的とする施設である。

5 児童福祉施設の長は、都道府県知事等から児童福祉法上の措置又は助産の実施若しくは母子保護の実施のための委託を受けたときは、正当な理由がない限り拒めない。

問18 **次の文は、「体罰等によらない子育てのために～みんなで育児を支える社会に～」（令和2年:厚生労働省）に関する記述である。適切な記述を○、不適切な記述を×とした場合の正しい組み合わせを一つ選びなさい。**

A 子どもに体罰をすることに対しての調査では、「しつけのために子どもを叩くことはやむを得ない」という意識が、「決してすべきではない」と比べると高い。

B しつけのためだと親が思っても、身体に、何らかの苦痛を引き起こし、又は不快感を意図的にもたらす行為は、どんなに軽いものであっても体罰に該当し、法律で禁止されている。

C 子どもをけなしたり、辱めたり、笑いものにするような言動は、子どもの心を傷つける行為で子どもの権利を侵害している。

D 体罰等が子どもの成長・発達に悪影響を与えることは、科学的には根拠はない。

（組み合わせ）

	A	B	C	D
1	×	×	○	○
2	○	×	×	○
3	○	○	○	○
4	×	○	○	×
5	×	○	×	○

解答・解説⑰

答 3、5

1× **児童心理治療施設**は、家庭環境、学校における交友関係その他の環境上の理由により社会生活への適応が困難となった児童を、短期間、入所させ、又は保護者の下から通わせて、社会生活に適応するために必要な心理に関する治療及び生活指導を主として行い、あわせて退所した者について相談その他の援助を行うことを目的とする施設である（児童福祉法第43条の2）。

2× 里親の行う養育について、基準を定めるのは**内閣総理大臣**である（同法第45条の2）。なお、都道府県は、児童福祉施設の設備及び運営について、**条例**で基準を定めなければならない（同法第45条）。

3○ 母子生活支援施設への入所の対象となるのは、「配偶者のない女子又はこれに準ずる事情にある女子」と「その者の監護すべき児童」である。したがって、**父子**の利用は認められていない（同法第38条）。

4× **医療型障害児入所施設**の目的に関する記述である。福祉型障害児入所施設は障害児を入所させ、「保護、日常生活の指導及び独立自活に必要な知識技能の付与」を行うことを目的とする施設である。両施設の違いとして、目的の中に「治療」を含むか否かがポイントになる（同法第42条）。

5○ 記述の通りである。ただし、保育所もしくは認定こども園の設置者又は家庭的保育事業等を行う者の児童福祉法第24条第3項の規定により行われる調整及び要請に対しては、「**できる限り協力しなければならない**」規定となっている（同法第46条の2第2項）。

子ども家庭福祉

解答・解説⑱

答 4

A× しつけのために子どもに体罰をすることに対してどのように考えるかについて、「積極的にすべきである」(0.9%)、「必要に応じてすべきである」(7.8%)、「他に手段がないと思った時のみすべきである」(**32.6%**)、「決してすべきではない」(**58.8%**）という結果であった（子どもに対するしつけのための体罰等の意識・実態調査結果報告書「子どもの体やこころを傷つける罰のない社会を目指して」2021)。

B○ 2020（令和2）年施行の改正児童福祉法及び改正児童虐待防止法により、親権者は児童のしつけに際して**体罰を加えてはならない**ことが定められた。これに伴い、2022（令和4）年に民法第822条の懲戒権の規定は削除された。

C○ 子どもの存在を否定するようなことやきょうだいを引き合いにしてけなすなどの言動は子どもの心を傷つける行為で**子どもの権利を侵害**している。

D× 体罰等が子どもの成長・発達に**悪影響**を与えることは**科学的にも明らか**になっており、体罰等が繰り返されると、心身に様々な悪影響が生じる可能性があることが報告されている。

問19 **次の文は、「令和５年人口動態統計月報年計（概数）」（厚生労働省）に関する記述である。適切な記述を○、不適切な記述を×とした場合の正しい組み合わせを一つ選びなさい。**

A 婚姻率は、2019（令和元）年と同程度である。

B 母の年齢別にみると、出生数は45歳以上では増加傾向にある。

C 出生数は前年より約４万人以上減少し、人口動態調査開始以来、最少となった。

（組み合わせ）

	A	B	C
1	○	×	×
2	×	○	○
3	○	×	○
4	○	○	○
5	×	○	×

問20 **次の文は、「こども基本法」の一部である。（　A　）～（　C　）にあてはまる語句の正しい組み合わせを一つ選びなさい。**

日本国憲法及び（　**A**　）の精神にのっとり、次代の社会を担う全てのこどもが、生涯にわたる人格形成の基礎を築き、自立した（　**B**　）としてひとしく健やかに成長することができ、心身の状況、置かれている環境等にかかわらず、その権利の擁護が図られ、将来にわたって（　**C**　）な生活を送ることができる社会の実現を目指して、（中略）こども政策を総合的に推進することを目的とする。

（組み合わせ）

	A	B	C
1	児童の権利に関する条約	個人	健やか
2	児童福祉法	社会の一員	健やか
3	児童の権利に関する条約	社会の一員	幸福
4	児童の権利に関する条約	個人	幸福
5	児童福祉法	個人	健やか

解答・解説⑲　答　2

A×　婚姻率は、1970（昭和45）年から1974（昭和49）年にかけてはおおむね10.0以上あったが、その後は増減を繰り返しながら**低下傾向**にある。2019（令和元）年の婚姻率は4.8であったが、2023（令和5）年の婚姻率は3.9で2019（令和元）年よりも**低下**している。

B○　母の年齢別にみると、出生数は45歳以上（1,745人）のみ増加しており、その他の年齢は減少している。

C○　2023（令和5）年の出生数は72万7,277人で、前年の77万759人より4万3,482人減少し、1899（明治32）年の人口動態調査開始以来、最少となった。合計特殊出生率は1.20で、統計を取り始めて以降、最も低くなっている。

解答・解説⑳　答　4

Aー児童の権利に関する条約

Bー個人

Cー幸福

2023（令和5）年4月に施行されたこども基本法は、子ども達をめぐる様々な問題を解決し、**日本国憲法及び児童の権利に関する条約に則った施策を具現化**するために定められたものである。一人一人の子どもの将来を見据え、その権利を包括的に保障することを目指している。

次の文は、「地域子ども・子育て支援事業」に関する記述である。適切な記述を○、不適切な記述を×とした場合の正しい組み合わせを一つ選びなさい。

A　利用者支援事業は、子どもまたはその保護者の身近な場所で、教育、保育施設や地域の子育て支援事業等の連絡調整をする事業である。

B　乳児家庭全戸訪問事業（こんにちは赤ちゃん事業）は、生後４ヶ月までの乳児がいるすべての家庭を訪問し、子育て支援に関する情報提供や養育環境等の把握を行う事業である。

C　病児保育事業は病児について、病院、保育所等に付設された専用スペース等において、看護師等が一時的に保育等を実施する事業である。

（組み合わせ）

	A	B	C
1	○	○	×
2	×	○	○
3	○	×	○
4	○	×	×
5	×	○	×

問22　**次の文は、「子供の貧困対策に関する大綱」の一部である。不適切な記述を一つ選びなさい。**

1　教育の支援では、学校を地域に開かれたプラットフォームと位置付けるとともに、高校進学後の支援の強化や教育費負担の軽減を図る。

2　幼児教育・保育の質の向上の推進のため、家庭教育支援チーム等による学習機会の提供や情報提供、相談対応、地域の居場所づくり、訪問型家庭教育支援等の取組を推進する。

3　生活の安定に資するための支援として、施設入所等の措置解除後の子供が家庭に復帰する際には、家庭支援専門相談員がその家庭環境を考慮し、保護者に子供への接し方等の助言やカウンセリングを実施すること。

4　ひとり親のみならず、ふたり親世帯についても、生活が困難な状態にある世帯については、親の状況にあったきめ細かな就労支援を進めていく。

5　市町村は子供の貧困対策について計画の策定が努力義務と定められている。

解答・解説㉑　答　2

A×　利用者支援事業は、子どもまたはその保護者の身近な場所で、教育、保育施設や地域の子育て支援事業等の情報提供及び必要に応じて**相談・助言**等を行うとともに、関係機関との連絡調整等をする事業である。

B○　乳児家庭全戸訪問事業（こんにちは赤ちゃん事業）は、訪問を乳児のいる家庭と地域社会をつなぐ**最初の機会**とすることにより、乳児家庭の孤立化を防ぎ、乳児の健全な育成環境の確保を図るものである。

C○　病児保育事業の類型には、⑴病児対応型・病後児対応型、⑵体調不良児対応型、⑶非施設型（訪問型）がある。

解答・解説㉒　答　3

1○　学校を地域に開かれたプラットフォームと位置付けて、スクールソーシャルワーカーが機能する体制づくりを進めるなど、苦しい状況にある子どもたちを早期に把握し、支援につなげる体制を強化している。

2○　専門性を生かした子育て支援の取組を推進するとともに、子育てに悩みや不安を抱える保護者など、地域における保護者に対する家庭教育支援を充実するため、家庭教育支援チーム等による学習機会の提供や情報提供、相談対応、地域の居場所づくり、訪問型家庭教育支援等の取組を推進することを掲げている。

3×　児童養護施設退所者等に関する支援（家庭への復帰支援）において、施設入所等の措置解除後の子どもが家庭に復帰する際には、**児童相談所**が、その家庭環境を考慮し、保護者に子どもへの接し方等の助言やカウンセリングを実施する。

4○　ひとり親のみならず、ふたり親世帯についても、就労支援員による支援や、ハローワークと福祉事務所等のチーム支援、就労の準備段階の者への支援等きめ細かい支援を実施することを掲げている。

5○　市町村に対し子どもの貧困対策についての計画の策定は努力義務とされている。地域の実情を踏まえた計画が策定されるよう働きかけるとともに、市町村を含む地方公共団体において子どもの貧困対策が実施されるよう、適切な支援を行う。

「配偶者からの暴力の防止及び被害者の保護等に関する法律」において、「配偶者からの暴力」として認められるものとして、適切な記述を○、不適切な記述を×とした場合の正しい組み合わせを一つ選びなさい。

A 外国人の妻に対する夫からの暴力。

B 生活の本拠を共にする交際相手からの暴力。

C 女性配偶者からの暴力。

D 離婚により民法上配偶者でなくなった元夫から引き続き加えられる暴力。

E 婚姻の届出をしていないが、事実上婚姻関係と同様の事情にある者からの暴力。

（組み合わせ）

	A	B	C	D	E
1	○	○	○	○	○
2	○	×	○	×	×
3	○	×	×	○	○
4	×	○	×	○	○
5	×	×	○	×	×

問24

次の文は、「子育て安心プラン」・「新子育て安心プラン」についての記述である。不適切な記述を一つ選びなさい。

1 2021（令和3）年から「新子育て安心プラン実施計画」に基づき、2024（令和6）年度末までの4年間で待機児童は解消する見込みである。

2 安心こども基金は、保育の質の向上のため、研修費用学習機会の提供やアクションプログラム実践等のための事業費補助である。

3 子育て安心プランは、女性が子育てのためにキャリアを中断せずにすむことを目指し、待機児童の解消や受け皿の整備を進めることが目的である。

4 新子育て安心プランは、2013（平成25）年に施行された待機児童解消加速化プラン、2018（平成30）年の子育て安心プランに続く施策である。

5 新子育て安心プラン集計結果では、待機児童数は2023（令和5）年4月には約10,000人へと減少し、保育所数も減少している。

解答・解説㉓　　答　1

A○　「配偶者からの暴力の防止及び被害者の保護等に関する法律」においては、**配偶者の定義に外国人の配偶者であるか否かを含んでいない**。したがって、認められる。

B○　2013（平成 25）年の法改正により適用された（同法第 28 条の 2）。

C○　同法においては、**性別による制限はない**ため女性配偶者からの暴力も認められる。

D○　同法第 1 条第 1 項により「配偶者からの暴力」は、配偶者からの身体に対する暴力等を受けた後に、その者が離婚をし、又はその婚姻が取り消された場合にあっては、当該配偶者であった者から**引き続き受ける身体に対する暴力等を含む**ものとするとしている。

E○　同法でいう「配偶者」には、婚姻の届出をしていないが事実上婚姻関係と同様の事情にある者を含むとしているため、認められる（同法第 1 条第 3 項）。

解答・解説㉔　　答　5

1○　2021（令和 3）年度から 2024（令和 6）年度末までの 4 年間で利用定員数は約 8.5 万人分増加し、待機児童は解消する見込みとなっている。

2○　安心こども基金は、都道府県に基金を造成し、「**新待機児童ゼロ作戦**」による保育所の整備等、認定こども園等の新たな保育需要への対応及び保育の質の向上のための研修などを実施し、子どもを安心して育てることができるような体制整備を実施している。

3○　子育て安心プランは、女性の多くが 25 ～ 44 歳で子育てのためにいったん離職しその後に復帰できるなど、キャリアを中断せずにすむことを目指し、待機児童の解消や受け皿の整備を進めることが目的である。

4○　2013（平成 25）年に施行された待機児童解消加速化プラン、2018（平成 30）年の子育て安心プランに続く施策であり、新子育て安心プランでは地域ごとの特性に応じた支援をし、空いているリソースを有効活用して保育の受け皿を拡大するほか、不足する保育士を確保することも重視されている。

5×　新子育て安心プランの成果として、2018（平成 30）年に 19,895 人いた待機児童数は 2023（令和 5）年 4 月には 2,680 人へと**大幅に減少**し、保育所数も**増加**している。

問25 **次の文は、母子生活支援施設についての記述である。適切な記述を一つ選びなさい。**

1 1997（平成9）年の「母子保健法」改正で、施設の目的に「入所者の自立の促進のためにその生活を支援すること」を追加し、施設種別の名称が変更された。

2 母子等が一緒に生活しつつ、共に支援を受けることができる母子・父子福祉施設である。

3 こども家庭庁によると、2023（令和5）年3月末現在、全国に215か所が設置されており、近年では、DV被害者が入所者の約5割を占める。

4 「児童養護施設入所児童等調査の概要（令和5年2月1日現在）」（こども家庭庁）によると、母子生活支援施設入所世帯の母親の半数以上は就業しており、就業している母親のうち「常用勤労者」が過半数を占める。

5 「児童養護施設入所児童等調査の概要（令和5年2月1日現在）」（こども家庭庁）によると、母子世帯になった理由としては「未婚の母」が「離婚」よりも多い。

問26 **次の文は、少年非行に関する記述である。不適切な記述を一つ選びなさい。**

1 14歳以上で犯罪を行った少年（犯罪少年）は、児童相談所で判定を受けて、必要が認められた場合に家庭裁判所に送致される。

2 刑法犯少年の年齢別検挙人員の増減率が一番高いのは14歳である。

3 特別法犯少年の法令別検挙人員の区分で一番多いのは大麻法である。

4 児童相談所における非行相談は、触法行為を行う少年に関する相談だけでなく、家出、浪費癖、乱暴などの行為をする少年に関する相談も含まれる。

解答・解説㉕　　答　3

1× 従来は、生活に困窮する母子家庭に住む場所を提供する施設であり、「母子寮」の名称であった。1997（平成9）年の「児童福祉法」の改正で、施設の目的に自立支援が追加されるとともに、名称が現在の**母子生活支援施設**に変更された。

2× 「配偶者のない女子」または「これに準ずる事情にある女子」と、「その者の監護すべき児童」を対象にした児童福祉施設である（父子の利用はできない）。なお、母子・父子福祉施設とは**母子・父子福祉センター**及び**母子・父子休養ホーム**のことを指す。

3○ こども家庭庁支援局家庭福祉課の調べによると、2023（令和5）年2月1日現在、施設数は215か所、定員4,441世帯、入所世帯2,780世帯（児童4,538人）である。近年ではDV被害者（入所理由が配偶者からの暴力）が入所者の約半数を占めているほか、精神障害や知的障害のある**母**や、障害のある**子ども**の入所が増加している。

4× 「児童養護施設入所児童等調査の概要」によると、母子生活支援施設の入所世帯の母親の59.6%は就業している。その雇用形態は「臨時・日雇・パート」が**40.1%**と最も多く、「常用勤労者」は**13.8%**である。

5× 「児童養護施設入所児童等調査の概要」によると、母子世帯になった理由は、「**離婚**」が56.1%と最も多く、次いで「未婚の母」17.0%である。

解答・解説㉖　　答　1

1× 14歳以上で犯罪を行った少年は「**少年法**」の対象となる。そのため、児童相談所の判定を受ける必要はなく、**家庭裁判所**で審判を受けてから処分が決定される。

なお、少年法の改正により2022（令和4）年4月1日より、18歳、19歳は「特定少年」と位置付けられ、一定以上の重い犯罪を犯した者は成年と同様の扱いを受けるようになった。

2○ 14歳40.1%、15歳39.5%、16歳39.0%と中学生の検挙の増減率が高い（「令和5年における少年非行及び子供の性被害の状況」警察庁生活安全局人身安全・少年課）。

3○ 2023（令和5）年では、大麻法1,222件、軽犯罪法864件となっており、中学生の大麻乱用少年の検挙割合も増加傾向である。

4○ 記述のほか、虚言癖、浮浪、性的逸脱等の虞犯行為もしくは飲酒、喫煙等の問題行動のある少年に関する**相談も含まれる**。

問27 **次の文は、里親制度に関する記述である。適切な記述を一つ選びなさい。**

1　養育里親が養育できる委託児童数は４人とされている。

2　里親に委託されている児童は、保育所に入所できない。

3　要保護児童のうち、児童虐待等により心身に有害な影響を受けた児童を養育する里親を親族里親という。

4　市長村長は、養育里親名簿を作成しておかなければならない。

5　里親が一時的な休息のための援助（レスパイト・ケア）を利用する場合、当該児童の再委託先は里親に限られる。

次の【事例】を読んで【設問】に答えなさい。

【事例】

保育所を利用するＭちゃん（２歳）と父親のＡさんは、父子家庭である。ある時から、Ａさんは、土曜保育の申請を提出し、毎週のように土曜保育を利用するようになった。朝・夕も延長保育を利用し、土曜日も遅くまで保育所を利用しているＭちゃんは、喜んで園に来ているとはいえ、保育者として、もう少し家庭で父親との触れ合える時間をとってもらいたいとの思いを感じている。

【設問】

父親のＡさんに対する担当保育者の対応として適切な記述を○、不適切な記述を×とした場合の正しい組み合わせを一つ選びなさい。

A　園での様子を連絡ノートなどで伝える。

B　毎日の送迎の際にＡさんへの声かけや個別の時間を設けて、子育ての大変さに共感するなど受容的に対応する。

C　Ｍちゃんには特別な配慮を行い、乳幼児期にふさわしい生活の場の提供を行えるように保育者が対応するようにする。

D　保護者にネグレクト、不適切な養育等が疑われるので、児童相談所に通告した。

（組み合わせ）

	A	B	C	D
1	×	×	○	○
2	○	×	×	○
3	○	○	○	×
4	×	×	○	×
5	×	○	×	○

1○　里親が養育できる児童数は、委託児童が４人までとし、その他（実子等）との合計が６人までと基準が定められている。

2×　「里親に委託されている児童が保育所へ入所する場合等の取扱いについて」において、里親の就労等により里親に委託されている児童の保育の必要性が生じた場合において、当該児童の最善の利益の観点から当該里親への委託を継続することが適切と認められる場合には、**保育所**（子ども・子育て支援法に定める幼稚園以外の特定教育・保育施設および特定地域型保育事業所）に**入所することを妨げない**とすることが示されている。

3×　要保護児童のうち、児童虐待等により心身に有害な影響を受けた児童、障害がある児童、非行等の問題を有する児童などを養育する里親は、**専門里親**である。

4×　**都道府県知事**は、養育里親名簿及び養子縁組里親名簿を作成しておかなければならない（児童福祉法第34条の19）。

5×　「里親の一時的な休息のための援助の実施について」（厚生労働省）によると、里親が一時的な休息のための援助（レスパイト・ケア）を必要とする場合には、**乳児院**、**児童養護施設**等又は他の里親を活用して当該児童の養育を行うことができる。

解答・解説㉘

A○　連絡帳は保護者にとっては、園とのかけがえのないコミュニケーションツールである。保護者が毎日の育児に対して安心できるよう子どもの変化などについて情報を共有することが重要となるため、連絡帳を有効活用していくことが求められる。

B○　送迎の際や連絡帳などを使い、保護者の気持ちを受け止めたり、保育士の助言や援助方法を保護者に伝えたりしながら子育てが不安なく行えるようにするなど、子育ての大変さに共感するなど受容的に対応することが保育士には求められている。

C○　**延長保育**や**休日保育**を利用している子どもにとって通常の保育とは異なる環境や集団の構成での保育環境であることから、子どもが安定して豊かな時間を過ごすことができるよう工夫することが重要である。

D×　保護者に不適切な養育等が疑われる場合には、**市町村**又は児童相談所への速やかな通告とともに、関係機関との連携、協働の下に、子どもの最善の利益を重視して支援を行うことが大切であるが、今回の事例では、不適切な養育等が疑われる事案ではないので、児童相談所への通告は適切ではない。

問29 次の【事例】を読んで、【設問】に答えなさい。

【事例】

P保育士は、保育所で仕事を始めたばかりである。初年度は、経験豊かなQ保育士とともに、年長児の担当をすることになったが、まもなく保育所が実に多様な家庭の子どもたちの保育をしていることを知った。

例えば、U児は、おっとりした性格で、友達から、からかわれることが多い。軽度の知的障害が疑われるが、まだ診断は受けていない。家庭との連絡帳から、母親の「友達とうまく遊べていないのではないか」「先生のいうことを理解できているだろうか」など、U児に対する不安な気持ちが強くうかがわれる。

このほかにもいろいろな家庭があることから、P保育士は、Q保育士に、「保育所でもっと積極的に子育て支援ができないだろうか」と話してみた。

【設問】

次の文は、下線部のU児に対する不安な気持ちに対して、P保育士がU児の母親に、まずはじめにどのように応答したらよいのかについての記述である。最も適切なものを一つ選びなさい。

1 「病院でまだ診断を受けていないのは困りますね」と伝える。

2 「U君は軽度の知的障害と思われます」と伝える。

3 「徐々に症状も軽くなるから、きっと大丈夫です」と励ます。

4 「お母さんの心配な気持ちはよくわかります」と伝える。

5 「まずは家族でよく話し合って、その結果を必ず報告してください」と指導する。

解答・解説㉙　　答　4

1×　母親はU児の様子に不安を抱えている。その**不安を受け止め**なければ母親も診断を受けさせようとは思わないであろう。

2×　障害があることを自身の知識や経験等から断言したり、診断を下すのは、**保育士の役割ではない**。

3×　保育士は、症状等について**判断できる立場にない**。また、不確定なことを断定するのは、母親との関係づくりにおいてマイナスに働くおそれがある。

4○　信頼関係を形成して支援を進めるためには、母親の気持ちに**共感**することが基本である。

5×　家庭との連絡帳に不安な気持ちを寄せていることから、保育士に相談したいと思っていることは明らかである。はじめの対応としては、家族と相談するようにと具体的な指導をする前に、まず**母親の気持ちを受け止めてよく話を聞く**必要がある。

アドバイス

全国保育士会がとりまとめた倫理綱領は、保育士が自律した業務を行うための行動規範となるものである。

●全国保育士会倫理綱領●

すべての子どもは、豊かな愛情のなかで心身ともに健やかに育てられ、自ら伸びていく無限の可能性を持っています。

私たちは、子どもが現在（いま）を幸せに生活し、未来（あす）を生きる力を育てる保育の仕事に誇りと責任をもって、自らの人間性と専門性の向上に努め、一人ひとりの子どもを心から尊重し、次のことを行います。

私たちは、子どもの育ちを支えます。
私たちは、保護者の子育てを支えます。
私たちは、子どもと子育てにやさしい社会をつくります。

1. 子どもの最善の利益の尊重
2. 子どもの発達保障
3. 保護者との協力
4. プライバシーの保護
5. チームワークと自己評価
6. 利用者の代弁
7. 地域の子育て支援
8. 専門職としての責務

問30 **次のうち、児童福祉法に示された、児童福祉施設に含まれないものを一つ選びなさい。**

1 児童家庭支援センター
2 自立援助ホーム
3 幼保連携型認定こども園
4 母子生活支援施設
5 障害児入所施設

解答・解説㉚ 答 2

1○ 児童家庭福祉に関する地域相談機関であり、地域の児童の福祉に関する各般の問題につき、相談に応じ、助言を行う施設である。

2× 自立援助ホームは、児童の自立支援を図る観点から、義務教育を終了し、児童養護施設などを退所した者等を対象とし、共同生活の中で日常生活上の援助等を行う施設をいう。児童自立生活援助事業者は、地方公共団体及び社会福祉法人等であって**都道府県知事**が適当と認めた者とする。

3○ 教育・保育を一体的に行う施設で、いわば幼稚園と保育所の両方の良さをあわせ持っている施設である。

4○ 母子生活支援施設は、配偶者のない女子又はこれに準ずる事情にある女子及びその者の監護すべき児童を入所させて、これらの者を保護するとともに、これらの者の自立の促進のためにその生活を支援し、あわせて退所した者について相談その他の援助を行うことを目的とする施設である。

5○ 基本的には18歳未満の障害のある者を対象としたサービスで、児童福祉法の下で提供され、児童福祉法に基づくサービスの一つである。

社 会 福 祉

社会福祉

正答数　1回目　／30　2回目　／30

問1　次の文は、各種手帳に関する記述である。適切な記述を○、不適切な記述を×とした場合の正しい組み合わせを一つ選びなさい。

A　視覚障害のある児童は、身体障害者手帳の対象となる。

B　身体障害者手帳の交付は、都道府県知事が行う。

C　療育手帳を取得できるのは、18歳未満の者だけである。

D　学習障害のある人は、発達障害者手帳の対象となる。

E　肢体不自由7級に該当する障害が2つ以上重複する場合は6級の手帳が交付される。

（組み合わせ）

	A	B	C	D	E
1	×	×	○	×	×
2	○	×	○	○	×
3	×	○	○	×	×
4	○	○	×	○	○
5	○	○	×	×	○

問2　次の文は、社会福祉専門職に関する記述である。適切な記述を○、不適切な記述を×とした場合の正しい組み合わせを一つ選びなさい。

A　民生委員は、児童委員を兼務することができないと規定されている。

B　女性相談支援員は「配偶者からの暴力の防止及び被害者の保護等に関する法律（DV防止法）」に基づく専門職で、DV被害者の相談や指導を行うことができる。

C　児童福祉司は「児童福祉法」に基づく専門相談員で、都道府県は、児童相談所に児童福祉司を置くように努めなければならない。

D　社会福祉主事は、「社会福祉法」に基づく専門職で、都道府県、市及び町村の福祉事務所に置かれ、年齢は18歳以上の者と規定されている。

（組み合わせ）

	A	B	C	D
1	×	×	×	×
2	×	×	×	○
3	×	×	○	×
4	×	○	×	×
5	○	×	×	×

過去の本試験で出題傾向の高かったテーマに関する問題を掲載しているので、確認しておこう。施策、社会資源、理論や専門用語等に関する正確な知識を、問題集を繰り返し解くことで身につけていこう。

解答・解説❶　答　5

A○　身体障害には、**視覚障害**、**言語・聴覚障害**、**肢体不自由**、**内部障害**がある。

B○　身体障害者手帳は、**都道府県知事**が交付する（身体障害者福祉法第15条）。

C×　知的障害児・者に交付される療育手帳は、18歳未満は児童相談所、**18歳以上は知的障害者更生相談所において知的障害と判定された者**に交付される。

D×　現在では、発達障害単独の手帳制度は存在しておらず、知的障害が伴う場合には**療育手帳**を、伴わない場合には**精神障害者保健福祉手帳**を取得することができる。

E○　身体障害者障害程度等級表（身体障害者福祉法施行規則別表第5号）の備考欄に記載されている内容である。

解答・解説❷　答　2

A×　**兼務することができる**。「民生委員法」において、「児童委員としても、適当である者について、これを行わなければならない」と規定されている（民生委員法第6条）。また、「児童福祉法」においても、民生委員は児童委員に充てられると規定されている（児童福祉法第16条）。

B×　**女性相談支援員**は、「困難な問題を抱える女性への支援に関する法律」（女性支援新法）第11条が根拠法である。同法は、2024（令和6）年4月1日より施行された。また、「DV防止法」第4条の規定で、女性相談支援員は、被害者の相談に応じ、必要な指導を行うことができる。

C×　児童福祉司を置かなければならないので、誤りである（児童福祉法第13条）。努力義務ではなく**義務**である。

D○　社会福祉主事は、都道府県、市及び福祉に関する事務所を設置する町村に配置され、その任用資格は18歳以上である（社会福祉法第18条、第19条）。

問 3 **次の文は社会福祉の歴史に関する記述である。<u>不適切な記述</u>を一つ選びなさい。**

1 戦前の社会福祉においては法制度の整備がままならない中、岡山県で地域での貧困問題の個別的な対策として済世顧問制度などが設置され、現在の民生委員に至る。

2 戦後、生活保護法、児童福祉法、身体障害者福祉法が成立し、福祉三法と呼ばれた。その後、国民生活の変化に伴い、1960（昭和 35）年以降知的障害者や高齢者、あるいは母子家庭の問題に対応する法律が制定され、社会福祉六法体制が整った。

3 1950 年代に国民健康保険法、国民年金法が相次いで制定され、国民皆保険・皆年金の制度が始まった。

4 1960 年代後半になると地域福祉が重視され、社会福祉基礎構造改革が行われ、在宅福祉制度が実施された。

5 2000（平成 12）年以降には児童虐待防止法、高齢者虐待防止法、障害者虐待防止法が制定され、虐待防止に向けての体制が整えられた。

問 4 **次の文のうち、高齢者虐待に関する記述として、適切な記述を○、不適切な記述を×とした場合の正しい組み合わせを１つ選びなさい。**

A 高齢者虐待とは、身体的虐待、介護等放棄、心理的虐待、性的虐待、経済的虐待の５つである。

B 高齢者の福祉に職務上関係のある者には、高齢者虐待の早期発見の努力義務が課せられている。

C 国民には、国または地方公共団体が講ずる高齢者虐待の防止、養護者に対する支援等のための施策に協力する努力義務が課せられている。

D 社会福祉協議会は、養護者による高齢者虐待の防止及び養護者による高齢者虐待を受けた高齢者の保護のため、高齢者及び養護者に対して、相談、指導及び助言を行う。

(組み合わせ)

	A	B	C	D
1	×	×	×	○
2	○	○	○	×
3	○	○	×	×
4	○	○	×	○
5	×	×	○	○

解答・解説③　答 4

1○　1917（大正 6）年に岡山県で済世顧問制度、1918（大正 7）年に大阪府で方面委員制度が設置された。

2○　1946（昭和 21）年に生活保護法（1950（昭和 25）年改正）、1947（昭和 22）年に児童福祉法、1949（昭和 24）年に身体障害者福祉法が制定された。その後、1960（昭和 35）年に精神薄弱者福祉法（現・知的障害者福祉法）、1963（昭和 38）年に老人福祉法、1964（昭和 39）年に母子福祉法（現・母子及び父子並びに寡婦福祉法）が制定された。

3○　1958（昭和 33）年に国民健康保険法、1959（昭和 34）年に国民年金法が制定され、十分とはいえないが、**所得保障が実現**した。

4×　**1980 年代以降**のノーマライゼーションの普及に伴い施設中心の社会福祉施策に疑問が投げかけられ、地域福祉や在宅福祉が重視されるようになり、2000（平成 12）年に介護保険法が施行された。

5○　2000（平成 12）年に児童虐待の防止等に関する法律（児童虐待防止法）、2005（平成 17）年に高齢者虐待の防止、高齢者の養護者に対する支援等に関する法律（高齢者虐待防止法）、2011（平成 23）年に障害者虐待の防止、障害者の養護者に対する支援等に関する法律（障害者虐待防止法）が制定された。

解答・解説④　答 2

A○　記述の通りである。「高齢者虐待の防止、高齢者の養護者に対する支援等に関する法律」第 2 条第 4 項に定められている。なお、「高齢者虐待」とは、**養護者による高齢者虐待**及び**養介護施設従事者等による高齢者虐待**をいう（同法第 2 条第 3 項）。

B○　養介護施設、病院、保健所その他高齢者の福祉に業務上関係のある団体及び養介護施設従事者等、医師、保健師、弁護士その他**高齢者の福祉に職務上関係のある者**は、高齢者虐待を発見しやすい立場にあることを自覚し、高齢者虐待の早期発見に努めなければならない（同法第 5 条第 1 項）。

C○　国民は、高齢者虐待の防止、養護者に対する支援等の重要性に関する理解を深めるとともに、記述文にある内容の**努力義務**が課せられている（同法第 4 条）。

D×　養護者による**高齢者虐待の防止**及び養護者による高齢者虐待を受けた**高齢者の保護**のため、高齢者及び養護者に対して、相談、指導及び助言を行うのは、**市町村**の役割である（同法第 6 条）。

問5 **次のうち、要保護児童対策地域協議会に関する記述として、正しいものを三つ選びなさい。**

1　地方公共団体の長は、要保護児童対策地域協議会を設置したとき、その旨を公示しなければならない。

2　要保護児童対策地域協議会の対象は被虐待児のみである。

3　要保護児童対策調整機関は、要保護児童対策地域協議会に関する事務の総括を行う。

4　要保護児童対策調整機関は、支援対象児童等に対する支援の実施状況の把握並びに児童相談所等との連絡調整を行う。

5　要保護児童対策地域協議会の構成員には守秘義務は課されているが、罰則規定はない。

問6 **次のうち、「児童扶養手当法」に関する記述として、適切な記述を○、不適切な記述を×とした場合の正しい組み合わせを一つ選びなさい。**

A　支給の目的は、家庭等における生活の安定に寄与するとともに、次代の社会を担う児童の健やかな成長に資することにある。

B　児童の住所が日本国外にある場合は、支給対象外となる。

C　基本額については、総務省において作成する年平均の全国消費者物価指数を根拠としている。

D　都道府県が行った支給に関する処分に対する審査請求が認められている。

（組み合わせ）

	A	B	C	D
1	×	○	○	○
2	×	×	○	○
3	○	○	○	×
4	○	×	×	×
5	×	○	×	○

解答・解説❺　答　1、3、4

1○　児童福祉法第 25 条の 2 第 3 項に規定されている。

2×　**要保護児童**、**要支援児童及びその保護者**、**特定妊婦**を対象とし、適切な支援を図るために必要な情報の交換を行うとともに、支援の内容に関する協議を行う（同法第 25 条の 2 第 2 項）。

3○　同法第 25 条の 2 第 5 項に規定されている。

4○　同法第 25 条の 2 第 5 項に規定されている。

5×　守秘義務は同法第 25 条の 5 に、また、義務違反に対する罰則規定が同法第 61 条の 3 に規定されている。

アドバイス

2016（平成 28）年の児童福祉法改正により、児童虐待の発生予防から自立支援まで一連の対策の強化を図るため、**児童が権利行使の主体**であることが理念として位置付けられた。また、こども家庭センターの全国展開、市町村及び児童相談所の体制強化、里親委託の推進等がポイントとして挙げられるので、確認しておこう。なお、「こども家庭センター」は、2024（令和 6）年 4 月より母子健康包括支援センター／子育て世代包括支援センターから改称された。

解答・解説❻　答　1

A×　記述は、**児童手当法**第 1 条の内容である。児童扶養手当法では、「父又は母と生計を同じくしていない児童が育成される家庭の**生活の安定**と**自立の促進**に寄与する」ことを目的としている（同法第 1 条）。

B○　日本国内に**住所**を有していない場合のほかに、児童福祉法第 6 条の 4 に規定する**里親**に委託されているときなどにも手当は支給されない（同法第 4 条第 2 項）。

C○　基本額については、**総務省**において作成する年平均の**全国消費者物価指数**が 1993（平成 5）年の物価指数を超えるか、または下るに至った場合においては、上昇・低下した比率を基準として、その翌年の 4 月以降の基本額が改定される（同法第 5 条の 2 第 1 項）。

D○　都道府県知事のした手当の支給に関する処分に不服がある者は、**都道府県知事**に審査請求をすることができる（同法第 17 条）。

問7 **次のうち、「社会福祉法」第2条に基づく、児童福祉施設の第一種社会福祉事業と第二種社会福祉事業の組み合わせとして、適切なものを○、不適切なものを×とした場合の正しい組み合わせを一つ選びなさい。**

A 母子生活支援施設 ―――― 第一種社会福祉事業
B 助産施設 ―――― 第一種社会福祉事業
C 保育所 ―――― 第二種社会福祉事業
D 障害児入所施設 ―――― 第二種社会福祉事業
E 児童家庭支援センター ―――― 第一種社会福祉事業

（組み合わせ）

	A	B	C	D	E
1	○	×	○	○	×
2	○	×	○	×	×
3	○	○	○	×	×
4	×	○	×	○	○
5	×	○	×	×	○

問8 **次の文は、地域福祉の推進に関する記述である。適切な記述の組み合わせを一つ選びなさい。**

A 社会福祉基礎構造改革では、それまでの社会福祉事業法が社会福祉法に改正され、新たに地域福祉の推進が目的として追加された。

B 「障害者の日常生活及び社会生活を総合的に支援するための法律」（障害者総合支援法）では、障害者及び障害児が基本的人権を享有する個人としての尊厳にふさわしい生活ができるよう支援を総合的に行うこととされている。

C 地方公共団体は、単独もしくは共同で、障害者等への支援の体制の整備を図るため、関係機関や関係団体により構成される協議会を置かなければならない。

D 地域福祉は、社会福祉協議会が中心となって推進するものであり、福祉サービスを必要とする地域住民が推進するものではない。

E 特定非営利活動法人は、地域福祉の推進者として社会福祉を目的とする事業の企画及び実施をする機関である。

（組み合わせ）

1 A B　　**4** B E
2 A C　　**5** D E
3 B C

解答・解説⑦　答　2

A○　母子生活支援施設は、**第一種社会福祉事業**である（社会福祉法第2条第2項第2号）。母子を保護するとともに、その自立を促進するため個々の母子の家庭生活及び稼動の状況に応じ、就労、家庭生活及び児童の教育に関する相談及び助言を行う等の支援を行っている。

B×　助産施設は**第二種社会福祉事業**である（同法第2条第3項第2号）。保健上必要があるにもかかわらず、経済的理由により、入院助産を受けることができない妊産婦を入所させて、助産を受けさせることを目的とする施設である。主に、地域の産婦人科を持つ病院や助産所が助産施設として指定されている。

C○　保育所は、**第二種社会福祉事業**である（同法第2条第3項第2号）。

D×　障害児入所施設は、**第一種社会福祉事業**である（同法第2条第2項第2号）。障害児入所施設には、「保護、日常生活の指導及び独立自活に必要な知識技能の付与」を目的とする福祉型と、「保護、日常生活の指導、独立自活に必要な知識技能の付与及び治療」を目的とする医療型がある（児童福祉法第42条）。

E×　児童家庭支援センターは、**第二種社会福祉事業**である（社会福祉法第2条第3項第2号）。子ども、家庭、地域住民などを対象とし、児童に関する家庭その他からの相談の中で、専門的な知識や技術を必要とするものに応じている。また、児童相談所を補完する施設としての役割も担っている。

解答・解説⑧　答　1

A○　2000（平成12）年に行われた社会福祉基礎構造改革では、社会福祉事業法が社会福祉法へ改正、支援費制度の導入等が行われ、**地域福祉の推進**がうたわれている。

B○　2006（平成18）年に施行された障害者自立支援法が、「障害者の日常生活及び社会生活を総合的に支援するための法律（**障害者総合支援法**）」となり、2013（平成25）年4月より施行されている。設問は、その第1条（目的）に記載されている。

C×　障害者等への支援の体制の整備を図るために、地方公共団体は、協議会を置くように**努めなければならない**とされている（同法第89条の3第1項）。また、その構成メンバーには、障害者等及びその家族、障害者等の福祉、医療、教育又は雇用に関連する職務に従事する者その他の関係者が含まれている。

D×　社会福祉法第4条では、地域住民、社会福祉を目的とする事業を経営する者及び社会福祉に関する活動を行う者は、協力して地域福祉の推進に努めなければならないとされており、**地域住民もその担い手**として規定されている。

E×　特定非営利活動法人（通称NPO法人）とは、**特定非営利活動促進法**によって認定された、ボランティア活動をはじめとする社会貢献活動を行う団体である。

問9 **次の文はわが国の社会保険制度に関する記述である。適切な記述を○、不適切な記述を×とした場合の正しい組み合わせを一つ選びなさい。**

A 国民健康保険制度の保険者は、全国健康保険協会、健康保険組合である。

B 生活保護制度の仕組みの１つに失業等給付がある。

C 後期高齢者医療制度において、療養の給付を受けた際の負担金は原則２割である。

D 雇用保険制度では、育児休業給付を行っている。

（組み合わせ）

	A	B	C	D
1	×	×	×	○
2	×	○	○	×
3	×	×	○	×
4	○	×	×	○
5	○	○	×	○

問10 **次の文は「社会福祉法」の目的に関する記述である。不適切な記述を一つ選びなさい。**

1 社会福祉を目的とする事業の全分野における共通的基本事項を定めている。

2 社会福祉を目的とした事業を経営する者は、利用者の意向を十分に尊重し、関連するサービスとの有機的な連携を図るよう創意工夫を行いつつ、これを総合的に提供するように、その事業の実施に努めなければならない。

3 社会福祉法人は、評議員、評議員会、理事、理事会及び監事を置くよう努めなければならない。

4 地域住民は、福祉サービスを必要とする地域住民が、あらゆる分野の活動に参加する機会が確保されるように、協力して地域福祉の推進に努めなければならない。

5 都道府県及び市は、条例で、福祉に関する事務所を設置しなければならない。

解答・解説⑨　答 1

A×　国民健康保険制度の保険者は、**都道府県**及び**市区町村**、または国民健康保険組合である（国民健康保険法第 3 条）。全国健康保険協会、健康保険組合が保険者であるのは、健康保険制度である（健康保険法第 4 条）。

B×　失業等給付は、**雇用保険制度**に基づく仕組みである（雇用保険法第 10 条）。失業等給付は、求職者給付、就職促進給付、教育訓練給付及び雇用継続給付からなる。このほかに、雇用保険制度では、雇用安定事業や能力開発事業を行っている。

C×　後期高齢者医療制度において、療養の給付を受けた際の負担金は原則 1 割である（現役並み所得者は 3 割）。**後期高齢者医療制度**は、**75 歳**（寝たきり等の状態にある場合は 65 歳）**以上**の高齢者が加入する制度である。

D○　育児休業給付は、育児休業給付金として支給される（雇用保険法第 61 条の 6）。育児休業給付は、育児休業終了後の職場復帰を前提とした給付金であり、育児休業給付の受給資格は、原則として、育児休業を開始した日前 2 年間に被保険者期間が 12 か月以上必要となる。

解答・解説⑩　答 3

1○　社会福祉法第 1 条の記述である。

2○　同法第 5 条の記述である。

3×　同法第 36 条の記述であるが、**評議員**、**評議員会**、**理事**、**理事会及び監事**を**置かなければならない**。2016（平成 28）年の社会福祉法改正により組織経営のガバナンスの強化が示された。

4○　同法第 4 条の記述である。

5○　同法第 14 条の記述である。

問11 次の文は、2024（令和6）年4月に改正施行された「児童福祉法」に関する記述である。適切な記述を○、不適切な記述を×とした場合の正しい組み合わせを一つ選びなさい。

A 児童福祉法は、子育て世帯に対する包括的な支援の体制強化を目的として改正された。

B 児童相談所等は、入所措置や一時保護等の際に児童の最善の利益を考慮し、児童の意見・意向を勘案して措置を行うため、児童の意見聴取の措置を講ずることとした。

C 障害児入所施設の入所児童が地域生活等へ移行する際の調整の責任主体を、市区町村と明確にするとともに入所継続を22歳まで可能とした。

D 包括的な支援体制の強化として、市区町村は、全ての妊産婦・子育て世帯・子どもの包括的な相談支援等を行うこども家庭支援センターの設置や身近な子育て支援の場における相談機関の整備に努める。

（組み合わせ）

	A	B	C	D
1	×	○	○	×
2	×	○	×	○
3	○	○	○	×
4	○	○	×	○
5	○	×	×	○

問12 次の文は、「子どもの貧困対策の推進に関する法律」の規定に関する記述である。適切な記述の組み合わせを一つ選びなさい。

A 内閣総理大臣は、子どもの貧困対策に関する大綱を定めなければならない。

B 都道府県は、子どもの貧困対策についての計画を定める責務がある。

C 厚生労働省に、子どもの貧困対策会議を置く。

D 国と地方公共団体は、貧困の状況にある子どもの保護者に関する就労の支援に関して、必要な施策を講ずる。

E 国は、子どもの貧困対策を策定し、実施する責務がある。

（組み合わせ）

1 A B
2 B C
3 C D
4 A E
5 D E

解答・解説⑪　答　4

A○　児童福祉法は、児童虐待の相談件数の増加など、子育てに困難を抱える世帯がこれまで以上に顕在化してきている状況等を踏まえ、子育て世帯に対する**包括的支援**の体制の強化を目的として2022（令和４）年に改正、2024（令和６）年４月に施行された。

B○　**都道府県**は児童の意見・意向表明や権利擁護に向けた必要な環境整備を行うものであり、児童相談所等は、入所措置や一時保護等の際に児童の最善の利益を考慮し、児童の意見・意向を勘案して措置を行うため、児童の意見聴取の措置を講じる。

C×　障害児入所施設の入所児童が地域生活等へ移行する際の調整の責任主体は、**都道府県・政令市**と明確にした。また入所継続は**22歳**まで可能である。

D○　市区町村は、全ての妊産婦・子育て世帯・子どもの包括的な相談支援等を行う**こども家庭支援センター**（子ども家庭総合支援拠点と子育て世代包括支援センターを見直し）の設置や身近な子育て支援の場である保育所等における相談機関の整備に努める。

解答・解説⑫　答　5

A×　内閣総理大臣ではなく、**政府**である（子どもの貧困対策の推進に関する法律第8条）。

B×　**努力義務**のため誤りである（同法第9条）。

C×　**内閣府**に、特別の機関として置く（同法第15条）。

D○　**国及び地方公共団体**に、実施する責務がある（同法第12条）。

E○　記述の通りである（同法第3条）。

日本において、子どもの貧困が社会的問題となったのは、2010（平成22）年のOECD加盟国の**相対的貧困率**による。子ども（18歳未満）の貧困率が日本は15.7%で、これは加盟国34か国中10番目に**高く**、ひとり親世帯での貧困率50.8%は加盟国中最も高かった（データの無い韓国を除く）。また、2012（平成24）年の国民生活基礎調査では16.3%と、日本の子どもの**6**人に1人が貧しい生活を送っているという結果で過去最高の子どもの貧困率となった。

このような流れを受けて、貧困の連鎖を絶つために、2014（平成26）年に「子どもの貧困対策の推進に関する法律」が施行された。

その結果、子どもの貧困に関する最新の調査である2022（令和4）年の国民生活基礎調査では、日本の子どもの貧困率は11.5%となっており改善傾向にある。

問13 **次の文は、社会福祉の情報提供に関する記述である。不適切な記述を一つ選びなさい。**

1　社会福祉事業の経営者は、福祉サービスを利用するための契約が成立したときは、利用者に対し、遅滞なく、利用者が支払うべき額に関する事項等を記載した書面を交付しなければならない。

2　「社会福祉法」では、利用者の理解や判断を誤らせるような事実に反する誇大な広告を禁止し、情報提供の適正化を図っている。

3　社会福祉事業の経営者は、その提供する福祉サービスの利用を希望する者からの申し込みがあった場合には、希望する者のみに対して、説明を行うものとされている。

4　「社会福祉法」では、当該利用者の承諾を得れば、利用契約成立時の書面の交付は電子情報処理組織を使用する方法に代えてもよいとされている。

5　「社会福祉法」では、社会福祉事業の経営者や国及び地方公共団体に対して、福祉サービスの適切な利用が行われるように、情報の提供等を行うよう努めなければならないと定められている。

問14 **次の文は、「障害福祉サービス等及び障害児通所支援等の円滑な実施を確保するための基本的な指針」に関する記述である。適切な記述を○、不適切な記述を×とした場合の正しい組み合わせを一つ選びなさい。**

A　共生社会を実現するため、障害者等の自己決定を尊重し、その自由意思に基づいた自主・自立の生活基盤を重視する。

B　障害者等が必要とする障害福祉サービスを行政は構築し、地域生活を原則として、障害者等の自立した生活と社会参加の促進を図り、障害者の社会的な活動を進めていく。

C　地域で障害福祉サービスを受けることができるよう市町村を実施主体の基本とする。

D　障害児の健やかな育成のため、障害児本人の最善の利益を考慮するとともに、障害児のライフステージに沿って社会資源が連携し、切れ目のない一貫した支援を提供する体制を構築する。

（組み合わせ）

	A	B	C	D
1	○	○	×	×
2	○	×	×	○
3	×	○	×	○
4	×	×	○	×
5	×	×	○	○

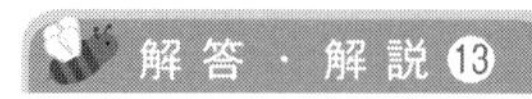

解答・解説⑬　答　3

1○　社会福祉法第 77 条において、社会福祉事業の経営者の名称及び主たる事務所の所在地、経営者が提供する福祉サービスの内容、サービスの提供につき利用者が支払うべき額に関する事項、その他厚生労働省令で定める事項を記載した**書面を交付**しなければならないとされている。

2○　同法第 79 条において、著しく事実に相違する表示をし、又は実際のものよりも著しく優良であり、若しくは有利であると人を**誤認**させるような**表示をしてはならない**と規定されている。

3×　同法第 76 条に、サービス利用希望者に対し、当該福祉サービスを利用するための契約内容及びその履行に関する事項について説明するよう努めなければならないと**努力義務**が課されている。

4○　**利用者の承諾を得れば**、電子情報処理組織を使用する方法その他の情報通信の技術を利用する方法であって厚生労働省令で定めるものにより提供することができる（同法第 77 条第 2 項）。

5○　同法第 75 条で、社会福祉事業の経営者には、福祉サービス利用者が適切かつ円滑にサービス利用できるよう、**情報の提供**を行う**努力義務**が課されている。また、第 2 項において、国及び地方公共団体には、福祉サービス利用者が**必要な情報を容易に得られる**ように必要な措置を講ずる**努力義務**が規定されている。

解答・解説⑭　答　5

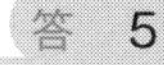

A×　共生社会を実現するため、障害者等の自己決定を尊重し、その自由意思に基づいた自主・自立の生活を基盤とすることを目指しているのではなく、**自己決定を尊重**し、その**意思決定の支援に配慮する**ことを重視している。

B×　障害者等が必要とする障害福祉サービスを受けながら、自立と社会参加の実現を図っていくことを基本として、地域の社会資源を最大限に活かしながら、障害者等の**意思決定支援**を行いつつ、地域生活を希望するものが、地域での暮らしを継続することができるように、必要な障害福祉サービスの提供体制確保を目指している。

C○　身近な**市町村を実施主体**の基本とすることで、一人ひとりの状況に応じた細やかなサービスの体制を構築していくとともに、地域ごとの条件や地域資源の実態を踏まえた地域共生社会の実現に向けて、支援の体制の構築を目指している。

D○　障害児本人の最善の利益を考慮して、障害児の健やかな育成支援を目指している。そのため、障害児とその家族に対して、障害の疑いのある段階から身近な地域で支援することができるように、**地域支援体制の構築**を目指し、障害の有無にかかわらず全ての児童が共に成長できるように、地域社会への参加やインクルージョンを推進している。

問15 **次の文は社会手当に関する記述である。適切な記述を○、不適切な記述を×とした場合の正しい組み合わせを一つ選びなさい。**

A 障害児福祉手当では、重度障害児を養育する者に対して手当を支給する。

B 特別児童扶養手当では、障害児を監護する父もしくは母等に対して手当を支給する。

C 児童手当は、中学校修了前の児童が対象である。

D 児童扶養手当の支給は、婚姻を解消した父母等が児童に対して履行すべき扶養義務の程度又は内容を変更する要件になりうる。

（組み合わせ）

	A	B	C	D
1	×	○	×	○
2	○	○	○	×
3	×	×	○	×
4	×	○	○	×
5	○	×	×	○

問16 **次の文は、「生活困窮者自立支援法」に関する記述である。不適切な記述を一つ選びなさい。**

1 この法律における「生活困窮者」とは、経済的に困窮し最低限度の生活ができない者である。

2 生活困窮世帯の子どもに、学習支援事業を行うことができる。

3 社会との関わりに不安があるなど、すぐに就労することが困難な人には、就労に向けての基礎能力を養うなど、就労に向けた支援を行う。

4 生活困窮者からの仕事や生活の困りごとについて、相談援助を行う。

5 離職により住居を失って、ネットカフェ等、不安定な場所で暮らしている人に対して家賃相当額を支給することができる。

解答・解説⑮　答　4

A ×　都道府県知事、市長（特別区の区長を含む）、福祉事務所を管理する町村長は、その管理に属する福祉事務所の所管区域内に住所を有する**重度障害児**に対して**障害児福祉手当**を支給する（ただし、障害児入所施設に入所している場合には支給されない）（特別児童扶養手当等の支給に関する法律第 17 条）。

B ○　障害児の父もしくは母がその障害児を監護するときや、当該障害児の父母以外の者がその障害児を養育するとき等において、その**父もしくは母**又は**その養育者**に対して特別児童扶養手当が支給される（特別児童扶養手当等の支給に関する法律第 3 条第 1 項）。

C ○　児童手当は、**15 歳に達する日以後の最初の 3 月 31 日までの間**にある児童（**中学校修了前の児童**）が対象となる（児童手当法第 4 条第 1 項イ）。なお、児童手当法の改正により、2024（令和 6）年 10 月より、児童手当の支給対象年齢が 18 歳到達後の最初の年度末（高校生年代）までに延長される。

D ×　児童扶養手当の支給は、**婚姻**を解消した父母等が児童に対して履行すべき扶養義務の程度又は内容を**変更するものではない**（児童扶養手当法第 2 条第 3 項）。

解答・解説⑯　答　1

1 ×　「生活困窮者」とは、**最低限度の生活を維持することができなくなるおそれのある者**のことである（生活困窮者自立支援法第 3 条）。生活保護受給者は対象外である。

2 ○　**子どもの学習・生活支援事業**として都道府県が行うことができる（同法第 7 条第 2 項第 2 号）。「貧困の連鎖」を防止するため、子どもの学習・生活支援事業においては、生活保護受給家庭の子どもも学習支援事業の対象となっている。この学習支援は単に勉強を教えるだけでなく、学校や家庭以外の居場所づくりや、そこでの生活習慣の形成支援など、子どもの将来の自立に向けて細やかな支援を包括的に行うことが求められている。

3 ○　生活困窮者就労準備支援事業（同法第 7 条）については、雇用による就労（一般就労）を継続して行うことが困難な生活困窮者に、一般就労に向けた基礎能力を養いながら、就労に向けた支援や、就労機会を提供する。

4 ○　**生活困窮者自立相談支援事業**のことである。生活困窮者の就労や生活の自立を目指し、支援員は相談に応じ、必要な情報の提供及び助言を行う（同法第 5 条）。

5 ○　適切な記述である。同法第 6 条により、離職などで住居を失った者、またはそのおそれがある者に対して、家賃相当額を一定期間支給する（住居確保給付金）。

問17 次の文は、社会福祉法人に関する記述である。適切な記述の組み合わせを一つ選びなさい。

A 第一種社会福祉事業を行うことができるのは、社会福祉法人のみである。

B 社会福祉法人は、その主たる事務所のある市町村域でしか事業を行ってはならない。

C 社会福祉法人の行った公益事業又は収益事業に関する会計は、当該社会福祉法人の行う社会福祉事業に関する会計と区別しなければならない。

D 社会福祉法人の監事は、その運営する社会福祉法人の職員を兼務できない。

E 社会福祉法人は、社会福祉施設を経営しなければならないとされている。

（組み合わせ）

1 A B
2 A E
3 B C
4 C D
5 D E

問18 次の文は、苦情解決に関する記述である。適切な記述を一つ選びなさい。

1 「社会福祉法」では、社会福祉事業経営者は、利用者からの苦情解決に対応した場合は、都道府県知事にその経緯を必ず報告しなければならないと定められている。

2 保育所における苦情解決は、「保育所保育指針」ではふれられてはいないが、「児童福祉法」及び「児童福祉施設の設備及び運営に関する基準」において定められている。

3 苦情の解決に当たって児童福祉施設は、その公正な解決のために、当該施設の職員を関与させなければならないと「児童福祉施設の設備及び運営に関する基準」において定められている。

4 「社会福祉法」では、社会福祉事業経営者に利用者からの苦情の適切な解決に努めるよう努力義務を課している。

5 苦情を第三者的立場から適切に解決するために、「社会福祉法」では、市区町村社会福祉協議会に運営適正化委員会を設置することが定められている。

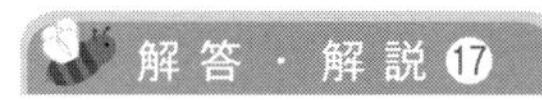

解答・解説⑰　答 4

A× 第一種社会福祉事業の経営主体は、**国、地方公共団体、社会福祉法人**が原則である（社会福祉法第60条）。なお、第二種社会福祉事業の経営主体に制限はなく、国及び都道府県以外の者は、届出をすることにより、事業経営をすることができる（同法第69条）。

B× 社会福祉法人の所轄庁は、その主たる事務所の所在地の**都道府県知事**が原則とされている。ただし、①主たる事務所が市の区域内にある社会福祉法人（②に該当する社会福祉法人は除く）で行う事業が当該市の区域を越えないものは市長（特別区の区長を含む）が、②主たる事務所が指定都市の区域内にある社会福祉法人で行う事業が一の都道府県の区域内において二以上の市町村の区域にわたるもの及び地区社会福祉協議会である社会福祉法人は指定都市の長である。なお、行う事業が二以上の地方厚生局の管轄区域にわたり、厚生労働省令で定めるものは厚生労働大臣が所轄することとなっている（同法第30条）。

C○ 社会福祉法人の行った公益事業又は収益事業に関する会計に関しては、社会福祉事業に関する会計と区分して、**特別の会計**として経理しなければならないとある（同法第26条第2項）。

D○ 同法第44条第2項において、監事は、理事又は当該社会福祉法人の職員を兼ねることはできないと規定されている。

E× 選択肢のような内容は定められていない。社会福祉法人の行う事業は多岐にわたり、社会福祉施設の経営に**限定されない**。

解答・解説⑱　答 4

1× 都道府県知事への通知義務が課されているのは、都道府県社会福祉協議会に設置されている**運営適正化委員会**である（社会福祉法第86条）。

2× 保育所の苦情解決に関しては、「保育所保育指針」第1章「総則」の「保育所の社会的責任」及び「児童福祉施設の設備及び運営に関する基準」の第14条の3第1項に**明記**されているが、「児童福祉法」による規定はない。

3× 乳児院、児童養護施設、障害児入所施設、児童発達支援センター、児童心理治療施設及び児童自立支援施設は、当該児童福祉施設の**職員以外の者**を関与させなければならないとされている（同基準第14条の3第2項）。

4○ 社会福祉法第82条に、社会福祉事業の経営者は、常に、その提供する福祉サービスについて、利用者等からの**苦情の適切な解決**に努めなければならないと規定されている。

5× 同法第83条に、都道府県の区域内において、**都道府県社会福祉協議会**に運営適正化委員会を置くことが規定されている。

問19 **次のうち、児童福祉施設の苦情対応に関する記述として、正しいものを二つ選びなさい。**

1 児童福祉施設は、運営適正化委員会が行う調査について、必要があると認められる場合に限り協力するものとしている。

2 児童福祉施設は、行った援助に関し、都道府県から指導を受けた場合、その指導に従って必要な改善を行わなければならない。

3 児童自立支援施設は、苦情の解決に当たり、当該施設の職員以外の者を関与させてはならない。

4 児童福祉施設は、行った援助に関する入所者等からの苦情に、迅速かつ適切に対応するため、苦情を受け付けるための窓口を設置する等の必要な措置を講じなければならない。

5 保育所での保育サービスを利用している保護者は苦情申出者として認められているが、児童は認められていない。

問20 **次の文は、「こども基本法」の施策に係る基本理念に関する記述である。適切な記述を○、不適切な記述を×とした場合の正しい組み合わせを一つ選びなさい。**

A すべてのこどもは大切にされ、基本的な人権が守られ差別されない。

B 子育ては家庭を基本原則として、すべてのこどもは家庭において、大事に育てられ、生活が守られ、保護される。

C 年齢や発達の程度に応じて、意見が尊重され、社会の様々な活動に参加でき、こどもの今とこれからにとって最もよいことが優先して考えられる。

D 家庭や子育てに夢を持ち、喜びを感じられる社会をつくる。

（組み合わせ）

	A	B	C	D
1	○	○	○	○
2	○	○	○	×
3	○	○	×	×
4	○	×	×	○
5	○	×	○	○

解答・解説⑲　答　2、4

1× 児童福祉施設は、都道府県社会福祉協議会内設置の運営適正化委員会が行う調査には、**できる限り協力しなければならない**とされている（「児童福祉施設の設備及び運営に関する基準」第14条の3第4項）。

2○ 同基準第14条の3第3項において、児童福祉施設は、その行った援助に関し、都道府県又は市町村から指導又は助言を受けた場合には、当該指導又は助言に従って**必要な改善**を行わなければならないことが規定されている。

3× 乳児院、児童養護施設、障害児入所施設、児童発達支援センター、児童心理治療施設及び児童自立支援施設は、苦情の公正な解決を図るために、苦情の解決に当たって当該児童福祉施設の**職員以外の者を関与させなければならない**（同基準第14条の3第2項）。

4○ 同基準第14条の3第1項に規定されている。

5× 同基準第14条の3第1項には、保護者だけでなく**入所している者**の苦情にも対応することが明記されている。

解答・解説⑳　答　5

「こども基本法」は、日本国憲法および児童の権利に関する条約の精神にのっとり、全てのこどもが将来にわたって幸福な生活を送ることができる社会の実現を目指し、こども政策を総合的に推進することを目的としている。こども施策は、その中で**6つの基本理念**をもとに行われることが示されている。

①すべてのこどもは大切にされ、基本的な人権が守られ、**差別されない**こと。

②すべてのこどもは、大事に育てられ、生活が守られ、愛され、保護される権利が守られ、**平等に教育**を受けられること。

③年齢や発達の程度により、自分に直接関係することに意見を言えたり、社会のさまざまな活動に参加できること。

④すべてのこどもは年齢や発達の程度に応じて、意見が尊重され、こどもの今とこれからにとって最もよいことが優先して考えられること。

⑤子育ては家庭を基本としながら、そのサポートが十分に行われ、家庭で育つことが難しいこどもも、**家庭と同様の環境が確保**されること。

⑥家庭や子育てに夢を持ち、喜びを感じられる社会をつくること。

そのため、Aが①の内容、Cは③と④の内容、Dは⑥の内容と合致するが、Bの記述は、⑤に示された内容と異なるため、Bは間違いである。

問21 **次の文は、社会福祉サービスの第三者評価事業に関する記述である。<u>不適切な記述</u>を一つ選びなさい。**

1　福祉サービスの第三者評価事業の創設は、1997（平成９）年に検討が始まった社会福祉基礎構造改革に端を発する。

2　社会福祉サービスの第三者評価事業とは、サービスの利用者が利用した社会福祉サービスを評価し、その結果を公表することにより、福祉サービス事業者のサービス提供の質の改善を図るというものである。

3　全国社会福祉協議会には、その業務遂行のため、「福祉サービスの質の向上推進委員会」および「評価事業普及協議会」の２団体が設置されている。

4　社会的養護関係施設は、第三者評価を３年に１回以上受審しなければならない。

5　全国社会福祉協議会と都道府県推進組織から得られた第三者評価に関する情報等は、WAM NET（ワムネット）にも掲載され、利用者やその家族が利用できるようになっている。

問22 **次の文は、国民年金制度に関する記述である。適切な記述を○、不適切な記述を×とした場合の正しい組み合わせを一つ選びなさい。**

A　国民年金は、日本国内に住所を有する20歳以上65歳未満のすべての人が加入する。

B　第１号被保険者は、出産予定日又は出産日が属する月の前月から４か月間（産前産後期間）国民年金保険料を免除できる。

C　第３号被保険者とは、第２号被保険者の配偶者であって20歳以上60歳未満のすべての人をいう。

D　遺族基礎年金の支給にあたっては、子どもがいることが要件になる。

（組み合わせ）

	A	B	C	D
1	○	○	○	○
2	×	×	×	○
3	○	×	○	×
4	×	○	×	×
5	×	○	×	○

解答・解説㉑ 答 2

1○ 適切な記述である。

2× 第三者評価事業とは、**第三者**による公平かつ客観的な立場からの評価を指し、社会福祉サービス事業者の質の改善を図っていくというものである。

3○ 全国社会福祉協議会は、第三者評価事業に関する様々なガイドラインの作成、評価調査者養成研修等モデルカリキュラムの作成等、第三者評価事業の普及および啓発に関する業務などを取り扱っている。

4○ 適切な記述である。2012（平成 24）年の通知により義務化された。なお、社会的養護関係施設とは、乳児院、母子生活支援施設、児童養護施設、児童自立支援施設、児童心理治療施設である。

5○ 適切な記述である。福祉サービス第三者評価事業は、サービス提供者のサービスの質の向上を図るだけでなく、利用者の適切なサービス選択のための**情報提供**にも寄与している。

解答・解説㉒ 答 5

A× 日本国内に住所を有する 20 歳以上 **60 歳未満**のすべての人が加入するものであり、老齢・障害・死亡の場合に「基礎年金」を受けることができる。

B○ 次世代育成支援の観点から、国民年金第 1 号被保険者が出産を行った際に、出産前後の一定期間の国民年金保険料が免除される制度が 2019（平成 31）年 4 月から始まっている。

C× 第 3 号被保険者とは、第 2 号被保険者の配偶者で 20 歳以上 60 歳未満の人をいうが、**年間収入が 130 万円以上**で健康保険の扶養となれない人は第 3 号被保険者とはならず、**第 1 号被保険者**となる。なお、第 3 号被保険者の国民年金保険料は配偶者が加入する年金制度が一括負担するため徴収はされない。

D○ 遺族基礎年金の対象となるのは、死亡した者によって生計を維持されていた、①子のある配偶者、②子（18 歳到達年度の末日（3 月 31 日）を経過していない子、20 歳未満で障害年金の障害等級 1 級または 2 級の子）に限られる。

問23 **次の文のうち、社会保障制度に関する記述として、適切な記述を○、不適切な記述を×とした場合の正しい組み合わせを一つ選びなさい。**

A　育児休業給付金は、労働基準法における保険給付である。

B　労働者は事業主に申し出ることにより、原則として子が１年６か月になるまで育児休業を利用することができる。

C　通勤により負傷した場合は、労働者災害補償保険における保険給付の対象となる。

D　介護休業給付金は、育児・介護休業法における保険給付である。

E　国民年金制度において、20歳以上の大学生は、学生納付特例制度によって在学期間の納付が猶予することができる。

（組み合わせ）

	A	B	C	D	E
1	○	×	○	×	○
2	○	○	×	×	×
3	×	×	○	×	○
4	×	×	○	○	○
5	○	○	×	○	×

問24 **次の文は、相談援助の展開過程に関する記述である。適切な記述を○、不適切な記述を×とした場合の正しい組み合わせを一つ選びなさい。**

A　インテーク面接とは、援助過程において最初に行われる面接である。

B　アセスメントとは、問題やニーズを抱えた利用者の問題の全体像を明確にし、解決能力や活用できるサービス・社会資源を評価することである。

C　インターベンションとは、援助目標が達成できたか否か、利用者の納得できる援助内容であったかを判断することである。

D　モニタリングとは、援助が適切に行われているかなどを吟味して、フィードバックすることである。

E　ターミネーションとは、具体的に様々な社会資源を活用して支援することである。

（組み合わせ）

	A	B	C	D	E
1	○	○	×	○	×
2	×	×	×	○	○
3	○	×	○	×	○
4	○	○	×	×	×
5	×	○	○	○	○

解答・解説㉓　答 3

A×　育児休業給付金は、**雇用保険法**に定められる保険給付である（雇用保険法第３条）。

B×　育児休業を利用できるのは、原則として子が**1**歳になるまでである。育児・介護休業法に基づき、保育所に入所できない場合に限り、子が１歳６ヶ月まで（再延長で２歳まで）延長することができる。

C○「労働者の通勤による負傷、疾病、障害又は死亡」（通勤災害）に関する保険給付は、労働者災害補償保険の対象となる（労働者災害補償保険法第７条第１項第３号）。

D×　介護休業給付金は、**雇用保険法**に定められた失業等給付の雇用継続給付として行われる保険給付である（雇用保険法第 10 条第１項・第６項）。

E○　学生納付特例制度は、申請によって大学等に在学する期間の保険料の納付が「猶予される制度」である。納付が「免除される制度」ではない点に注意したい。

解答・解説㉔　答 1

A○　適切な記述である。

B○　**解決すべき課題**、活用可能な社会資源、今後必要とされる**社会資源**等を**明らかにする段階**である。

C×　**エバリュエーション**（事後評価）に関する説明である。

D○　適切な記述である。**介入**（インターベンション）を**評価する段階**である。

E×　**介入**（インターベンション）の説明である。支援計画を実践する段階である。

問25 **次のうち、成年後見制度に関する記述として、適切な記述を○、不適切な記述を×とした場合の正しい組み合わせを一つ選びなさい。**

A　成年後見制度の国の所管は、厚生労働省である。

B　成年後見制度は、認知症高齢者、知的障害者、精神障害者等のうち判断能力が不十分な方が地域において自立した生活が送れるよう、利用者との契約に基づき、福祉サービスの利用援助等を行うものである。

C　成年後見制度のうち、任意後見制度は、民法に基づいている。

D　法定後見制度に関する申し立ては、本人以外にも認められている。

（組み合わせ）

	A	B	C	D
1	○	○	×	○
2	○	○	×	×
3	×	×	○	×
4	×	×	○	○
5	×	×	×	○

問26 **次の文は、福祉サービス利用援助事業（日常生活自立支援事業）に関する記述である。適切な記述を一つ選びなさい。**

1　福祉サービス利用援助事業（日常生活自立支援事業）は、第一種社会福祉事業に規定されている。

2　福祉サービス利用援助事業（日常生活自立支援事業）は、弁護士、司法書士、社会福祉士などが担う制度である。

3　福祉サービス利用援助事業（日常生活自立支援事業）では、苦情解決制度の利用援助を行う。

4　福祉サービス利用援助事業（日常生活自立支援事業）には、預金通帳の預かりサービスや預金の入出金などのサービスは含まれない。

5　福祉サービス利用援助事業（日常生活自立支援事業）には、住民票の届出等の行政手続に関する援助は含まれない。

解答・解説㉕　答　5

A×　成年後見制度の国の所管は、**法務省**である。

B×　**日常生活自立支援事業**の内容である。成年後見制度は、認知症、知的障害、精神障害などの理由で**判断能力の不十分な者**を保護するために、不動産や預貯金などの財産を管理したり、身のまわりの世話のために介護などのサービスや施設への入所に関する契約を結んだり、遺産分割の協議などをしたりする際に支援する仕組みである。

C×　成年後見制度は、大きく**法定後見制度**と**任意後見制度**に分けられる。法定後見制度は**民法**に基づいているが、任意後見制度は**任意後見契約に関する法律**を根拠法としている（通称：任意後見契約法）。

D○　法定後見制度に関する申し立ては、本人のほかに**配偶者**、**四親等内の親族**のほか、**検察官**、市町村長なども行うことができる。

解答・解説㉖　答　3

1×　福祉サービス利用援助事業（日常生活自立支援事業）は、**第二種社会福祉事業**である（社会福祉法第 2 条第 3 項第 12 号）。

2×　都道府県社会福祉協議会又は指定都市社会福祉協議会に所属する**専門員**や**生活支援員**が窓口となる（ただし、事業の一部を市区町村社会福祉協議会等に委託できる）。

3○　適切な記述である。

4×　預金の払い戻し、預金の解約、預金の預け入れの手続等、利用者の日常生活費の管理（**日常的金銭管理**）を行うこととされている。

5×　住宅改造、居住家屋の賃借、日常生活上の消費契約及び住民票の届出等の**行政手続に関する援助**等も行われている。

問27 **次の表は、わが国の少子高齢化の動向と施策に関する表である。 A ～ E にあてはまるものを【語群】から選んだ場合の正しい組み合わせを一つ選びなさい。**

【表】「わが国の少子高齢化の動向と施策」

平成元（1989）年	1.57ショック（人口動態調査の公表による）
6（1994）	エンゼルプランの策定
11（1999）	A
12（2000）	介護保険制度の創設
13（2001）	仕事と子育ての両立支援の方針（「待機児童ゼロ作戦」等）
15（2003）	少子化社会対策基本法の制定
	B
16（2004）	C
	「高年齢者等の雇用の安定等に関する法律」の改正
17（2005）	「高齢者虐待の防止、高齢者の養護者に対する支援等に関する法律」の成立
20（2008）	D
22（2010）	E
27（2015）	「子ども・子育て支援法」施行
30（2018）	改正「介護保険法」施行
令和元（2019）	改正「子ども・子育て支援法」施行
5（2023）	「こども家庭庁」発足、「こども基本法」施行

【語群】

ア 新待機児童ゼロ作戦の策定　**イ** 子ども・子育て応援プランの策定
ウ 新エンゼルプランの策定　**エ** 待機児童解消「先取り」プロジェクト
オ 次世代育成支援対策推進法の制定

（組み合わせ）

	A	B	C	D	E
1	イ	オ	ウ	エ	ア
2	ウ	オ	イ	ア	エ
3	オ	イ	エ	ア	ウ
4	ウ	ア	オ	エ	イ
5	エ	ウ	オ	イ	ア

解答・解説㉗　答 2

Aウ　エンゼルプランを強化する目的で策定された本プランは、少子化対策推進関係閣僚会議において6大臣合意で決定されたものである。少子化対策推進基本方針に基づき、期間やサービス量等の具体的な実施計画が盛り込まれている。

Bオ　**次世代育成支援対策**とは、国、地方公共団体が講ずる施策、事業主が行う雇用環境の整備その他の取り組みのことを指し（「次世代育成支援対策推進法」第2条）、行動計画の策定、次世代育成支援対策推進センターの設置等を定めたものである。

Cイ　2004（平成16）年に閣議決定された少子化社会対策大綱で掲げられた4つの重点課題に沿って、2009（平成21）年までの5年間に講ずる具体的な施策内容と目標を提示したものである。プランに掲げられている施策の実施を通し、おおむね10年後を展望した目指すべき社会の姿を提示した。

Dア　働き方の見直しによる仕事と生活の調和、家庭における子育ての包括的支援実現に向けて、保育サービスや放課後児童クラブの提供割合の拡大を具体的施策として**待機児童解消**に努めた。

Eエ　既存の制度に縛られない「多様で柔軟な保育サービス」の確保（最低基準を満たす認可外保育施設への公費助成、家庭的保育の拡充や認定こども園の普及促進）、「場所」の確保（保育所分園整備や家庭的保育実施の建物の確保、保育所整備等のための土地及び建物の確保）、「人材」の確保（短時間勤務保育士を活用したローテーション、保育を担う潜在的な人材の掘り起こし・再教育）の3つを柱として2010（平成22）年にとりまとめられたものである。

なお、2019（令和元）年の「子ども・子育て支援法」の改正では、幼稚園、保育所、認定こども園等を利用する3歳から5歳までのすべての子どもと、住民税非課税世帯の0歳から2歳までの子どもは、利用料が無料となった。

アドバイス

●少子高齢化社会の動向●

施策、数値に関するもの、用語の定義等と、出題範囲は多岐にわたる。施策は、その内容と成立年代を正確に覚えておこう。国民生活基礎調査や、人口動態統計等の調査結果を確認しておくことも大切。

問28 **相談援助の意義と原則について適切な記述を○、不適切な記述を×とした場合の正しい組み合わせを一つ選びなさい。**

A インフォームド・コンセントとは、「説明と同意」と訳し、専門職が行う対人援助やサービスを説明し、利用児（者）がそれに対して同意することである。

B アドボカシーとは、利用者（社会的弱者）等の権利擁護のため、代理人が利用者の立場に立って権利を代弁したり、利用者自身の自己決定を支援することである。

C ストレングスとは、利用児（者）本人の意欲や能力、好みなどの強みのことであり、専門職はこれらを引き出し、尊重することで自立を支援する。

D アウトリーチとは、専門職が利用児（者）の住居などに積極的に出向くことである。

E エンパワメントとは、専門職の様々な支援によって、利用児（者）が自らの生活をコントロールし、自己決定できる能力を身につけることである。

（組み合わせ）

	A	B	C	D	E
1	×	×	×	○	○
2	○	○	○	○	×
3	×	○	×	×	○
4	○	×	○	×	×
5	○	×	×	○	×

問29 **次の文は、バイスティックの7原則に関する記述である。適切な記述を○、不適切な記述を×とした場合の正しい組み合わせを一つ選びなさい。**

A 個別化とは、利用者の性格や特性、特徴についてとらえることである。

B 意図的な感情表出とは、利用者の感情をワーカーが思うように引き出すための技法であり、引き出したいと考える感情を自由に引き出すことが可能である。

C 非審判的態度とは、ワーカーの価値観と援助者の価値観の相違がないように面談の中で、調整し、評価していくための視点である。

D 自己決定とは、利用者の主体的な意思・意向を尊重し、自己決定に向けて尊重する関わりである。

（組み合わせ）

	A	B	C	D
1	×	×	×	○
2	×	×	○	○
3	×	○	×	○
4	○	×	×	○
5	○	×	○	○

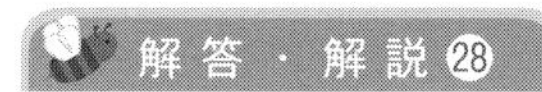

解答・解説㉘　答　2

A○　対人援助やサービスにおける介入、検査、治療等の専門的な行為は、専門職による情報提供や説明を利用児（者）が受け、それらに**同意**してから行うという原則である。

B○　適切な記述である。

C○　適切な記述である。

D○　自発的に援助を求めない利用児（者）に対し、利用児（者）の住居などに出向き信頼関係を構築したり、**ニーズの顕在化**を目指す支援方法である。

E×　社会的に抑圧されていたために、発揮されてこなかった利用児（者）本人が本来**持っている能力を引き出す**ように環境整備を行うなどの支援をすることである。

解答・解説㉙　答　1

バイスティックの７原則とは、対人援助に関わるワーカーに求められる７つの行動規範を示すものである。

A×　個別化とは、利用者の**抱える困難や問題の個別性**を理解することである。

B×　意図的な感情表出とは、利用者の自由な感情表出を促すように**意図的**に関わることである。

C×　非審判的態度とは、ワーカーの価値観によって利用者を一方的に非難することのないように関わることである。

D○　適切な記述である。

問30 **次の文のうち、生活保護制度に関する記述として、適切な記述を○、不適切な記述を×とした場合の正しい組み合わせを一つ選びなさい。**

A 小学校の学校給食費は、生活扶助の対象である。

B 住宅扶助の基準額は、家族構成に基づき全国一律である。

C 授産施設は、身体上若しくは精神上の理由又は世帯の事情により就業能力の限られている要保護者に対して、就労又は技能の修得のために必要な機会及び便宜を与えて、その自立を助長することを目的とする施設である。

D 救護施設とは、住居のない要保護者の世帯に対して、住宅扶助を行うことを目的とする施設である。

E 更生施設は、身体上又は精神上の理由により養護及び生活指導を必要とする要保護者を入所させて、生活扶助を行うことを目的とする施設である。

（組み合わせ）

	A	B	C	D	E
1	×	×	○	×	○
2	×	×	○	○	○
3	○	○	×	×	×
4	○	×	○	○	○
5	○	○	×	○	×

解答・解説㉚　　答　1

A× 「学校給食その他義務教育に伴って必要なもの」は、**教育扶助**の対象である（生活保護法第13条第3号）。

B× 住宅扶助の基準額は、**居住地**の「**級地**」等によって個々に定められている。

C○ 記述の通りである（同法第38条第5項）。

D× 記述は、**宿所提供施設**の内容である（同法第38条第6項）。救護施設とは「身体上又は精神上著しい障害があるために日常生活を営むことが困難な要保護者を入所させて、生活扶助を行うことを目的とする施設」である（同法第38条第2項）。

E○ 記述の通りである（同法第38条第3項）。

教育原理

教育原理

正答数 1回目 ／17　2回目 ／17

問 1　**次の文は、「日本国憲法」の一部である。不適切なものを一つ選びなさい。**

1　すべて国民は、法律の定めるところにより、その保護する子女に普通教育を受けさせる義務を負ふ。義務教育は、これを無償とする。

2　学問の自由は、これを保障する。

3　すべて国民は、健康で文化的な最低限度の生活を営む権利を有する。

4　法律に定める学校は、公の性質を有するものであって、国、地方公共団体及び法律に定める法人のみが、これを設置することができる。

5　この憲法が国民に保障する自由及び権利は、国民の不断の努力によって、これを保持しなければならない。又、国民は、これを濫用してはならないのであって、常に公共の福祉のためにこれを利用する責任を負ふ。

問 2　**次のうち、日本の教育と思想に関する記述として、正しいものを三つ選びなさい。**

1　城戸幡太郎は倉橋惣三の児童中心主義を支持し、保育問題研究会を立ち上げた。

2　森有礼は「帝国大学令」「師範学校令」「中学校令」「小学校令」を制定し、学制改革に取り組んだ。

3　石井十次はわが国初の孤児院である「岡山孤児院」を創設し、児童福祉の父と呼ばれた。

4　糸賀一雄は知的障害児の教育を行う「近江学園」と重症心身障害者施設「びわこ学園」を創設した。「この子らを世の光に」という言葉を残し、社会福祉の父と呼ばれる。

5　貝原益軒はわが国最初の体系的教科書である『学問のすゝめ』を著した。

教育原理の分野においては、大きく分けて5つの重要なポイントが挙げられる。①保育に関する関係法令、②教育に関わる歴史や人物、③教育の理論と評価、④教育の実践、⑤近年の教育政策、である。その他、カリキュラム、キャリア教育、特別支援教育についても十分に整理し、理解しておく必要がある。

解答・解説❶　答 4

日本国憲法は毎年試験に出題されるわけではないが、2017（平成29）年、2020（令和2）年、2022（令和4）年、2023（令和5）年に出題されたため、今後も出題される可能性がある。

1は日本国憲法第26条、普通教育を受けさせる義務を覚えたい。**2**は第23条、**3**は第25条、**5**は第12条である。

4は**教育基本法**の第6条である。日本国憲法では、「すべて国民は、法律の定めるところにより、その能力に応じて、ひとしく教育を受ける権利を有する。」と規定されている（日本国憲法第26条）。

解答・解説❷　答 2、3、4

1×　城戸幡太郎はマカレンコの**集団教育理論**に影響を受け、倉橋の児童中心主義を批判していた。

2○　森有礼は1885（明治18）年に内閣制度が成立した際、初代文部大臣に就任し、国民教育制度を設立した。

3○　石井十次は1887（明治20）年に岡山孤児院を創設し、無制限収容主義で多くの子どもたちを救った。その功績から児童福祉の父と呼ばれる。

4○　糸賀一雄は社会福祉の父と呼ばれている。1946（昭和21）年戦災孤児と知的障害者の教育を行う近江学園を、1963（昭和38）年重症心身障害者施設びわこ学園を創設した。

5×　貝原益軒は発達段階に即した教授法を提唱したが、体系的教育書の名前は『**和俗童子訓**』で、江戸時代の庶民の教育に大きな役割を果たした。『学問のすゝめ』は福沢諭吉によって書かれ、その思想は1872（明治5）年の学制序文など新政府の政策に影響を与えた。

問3 次の文は、「幼稚園教育要領」（平成29年3月告示）の記述の一部である。正しいものを○、誤ったものを×とした場合の正しい組み合わせを一つ選びなさい。

A 幅広い知識と教養を身に付け、真理を求める態度を養い、豊かな情操と道徳心を培うとともに健やかな身体を養うこと。

B 乳幼児期における発達は、心身の諸側面が相互に関連し合い、多様な経過をたどって成し遂げられていくものであること、また、園児の生活経験がそれぞれ異なることなどを考慮して、園児一人一人の特性や発達の過程に応じ、発達の課題に即した指導を行うようにすること。

C 一人一人の幼児が、将来、自分のよさや可能性を認識するとともに、あらゆる他者を価値のある存在として尊重し、多様な人々と協働しながら様々な社会的変化を乗り越え、豊かな人生を切り拓き、持続可能な社会の創り手となることができるようにするための基礎を培うことが求められる。

（組み合わせ）

	A	B	C
1	○	○	×
2	×	○	○
3	○	×	○
4	×	○	×
5	×	×	○

問4 次の文は、特別支援教育に関する記述である。不適切な記述を一つ選びなさい。

1 国及び地方公共団体は、障害のある者が障害の状態に応じ、十分な教育が受けられるよう教育上必要な支援を講じる必要がある。

2 通級による指導は、言語障害者、自閉症者、情緒障害者、弱視者、難聴者に限られる。

3 特別支援学校は、特別支援教育の中核を担う教員を「特別支援教育コーディネーター」として位置付けている。

4 特別支援学校は、各学校の要請に応じて、幼児、児童又は生徒の教育について必要な助言や援助を行うよう努める必要がある。

5 特別支援学校は、寄宿舎の設置が義務付けられている。

解答・解説❸　答　3

A○　「幼稚園教育要領」前文には、教育は、教育基本法第２条に掲げる目標を達成するように行わなければならないとあり、その目標の一部である。

B×　**「幼保連携型認定こども園教育・保育要領」**第１章「総則」第１「幼保連携型認定こども園における教育及び保育の基本及び目標」の記述である。

C○　「幼稚園教育要領」前文の一部である。**持続可能な社会の創り手**という言葉が示されている。

幼稚園教育要領には目を通しておくことが重要である。また、幼保連携型認定こども園教育・保育要領との違いの把握が必要である。

解答・解説❹　答　2

1○　教育基本法第４条第２項に「国及び地方公共団体は、障害のある者が、その障害の状態に応じ、十分な教育を受けられるよう、教育上必要な支援を講じなければならない」と明記されている。

2×　学校教育法施行規則第140条により、言語障害者、自閉症者、情緒障害者、弱視者、難聴者だけでなく、**学習障害者、注意欠陥多動性障害者**も通級による指導の対象とされた。また、新たに自閉症者が一つの項目として明記されている。

3○　**特別支援教育コーディネーター**は、特別支援教育の中核を担う教員として校務分掌にも位置付けられている。

4○　**特別支援学校**は、センター的機能を有しており、幼稚園、小学校、中学校、高等学校又は中等教育学校の要請に応じ幼児、児童又は生徒の教育について助言や援助を行うよう努めるとされている。

5○　そのほか、寄宿舎には寄宿舎の**指導員**を置くことも義務付けられている。

問5 **次の記述に該当する人物は誰か。正しいものを一つ選びなさい。**

アメリカの心理学者。その著書『思考の研究』の中で人間の知覚は社会的・文化的影響を受けると提唱した。また教育方法の改善を考え、発見学習を提唱し、その結果を『教育の過程』にまとめた。この発見学習とはそれぞれの学習の構造を児童に発見させ、結論を考えさせることで学習の仕方の習得をするというものである。

1 ブルーナー
2 デューイ
3 エレン・ケイ
4 ブルーム
5 アイザックス

問6 **次の【Ⅰ群】の思想家についての記述と【Ⅱ群】の人物を結び付けた場合の正しい組み合わせを一つ選びなさい。**

【Ⅰ群】

A 中江藤樹　**B** 緒方洪庵　**C** 伊藤仁斎

【Ⅱ群】

ア 江戸時代の儒学者で、古義学派の祖である。主著は『童子問』。学問的な葛藤に悩まされるが、孔子の論語や孟子の精読を行う、古義学を提唱した。京都の堀川に「古義堂」を開き、教育の目的は道の実践にありとして、実行と個性尊重の教育を行った。

イ 江戸時代の陽明学者。身分の上下を超えた平等思想に特徴があり、武士だけでなく商・工人まで広く浸透し、没後、「近江聖人」と呼ばれる。私塾「藤樹書院」を開いた。主な著書は『翁問答』。

ウ 江戸時代の蘭医学者。医師を志して修業を行ったのち、大坂（大阪）に蘭学の「適塾」を開き、学級組織を工夫して福沢諭吉など多くの門人を輩出した。感染症と闘い、天然痘の予防に貢献した。

（組み合わせ）

	A	B	C
1	ア	イ	ウ
2	ア	ウ	イ
3	イ	ア	ウ
4	イ	ウ	ア
5	ウ	ア	イ

解答・解説⑤　　答　1

ブルーナーによって書かれた『**教育の過程**』は教育学の古典的な作品だ。

「どの教科でも、知的性格をそのままにたもって、発達のどの段階のどの子どもにも効果的に教えることができるという仮説からはじめることにしよう」と書いた。

1○　ブルーナーはアメリカの心理学者でその著書『**教育の過程**』で発見学習を提唱した。

2×　デューイはアメリカの教育家でシカゴに教育の実験のための学校を作り、「**進歩主義教育**」を行い、それを『**学校と社会**』で発表した。教育の中心は児童だとする**児童中心主義**を主張した。

3×　エレン・ケイはスウェーデンの教育学者であり、著書『**児童の世紀**』で詰め込み教育を批判した。子どもの権利を守り、「教育の最大の秘訣は、教育しないことにある」と書いた。

4×　ブルームはアメリカの教育心理学者で、**完全取得学習**（マスタリー・ラーニング）を提唱した。個々の学習状況の把握と適切な指導を行うため、診断的評価、**形成的評価**、**総括的評価**を提唱した。ブルーナーと名前で混同しやすいが、注意しよう。

5×　アイザックスはイギリスの心理学者でピアジェの「自己中心性」を批判し、デューイの実験学校に付随した学校で子どもたちの活動を見守り、『**幼児の知的発達**』を発表した。

解答・解説⑥　　答　4

Aイ　中江藤樹（1608-48）は日本における陽明学派の祖とされる。日常生活における道徳、特に「孝」を重んじ、儒学を庶民の道徳として広めた。後年、近江聖人と呼ばれた。主著は『**翁問答**』『大学考』など。

Bウ　緒方洪庵（1810-63）は江戸末期の蘭医学者。私塾「**適塾**」を大坂に開いた。各地から入門者があり、明治期日本で活躍した多くの人材を輩出した。天然痘の撲滅のために種痘法の導入に尽力した。

Cア　伊藤仁斎（1627-1705）は朱子学以外に陽明学を学ぶも、孔子の思想をまとめた「論語」のもともとの意味（古義）に意味を見出す。京都に私塾、「**古義堂**」を開く。

アドバイス

私塾や人物一致の問題は、キーワードを確実に押さえることが重要である。今回の出題人物にあわせて、下記の人物と塾の組み合わせや読み方を覚えておこう。

①荻生徂徠（おぎゅうそらい）：蘐園塾（けんえんじゅく）　②広瀬淡窓（ひろせたんそう）：咸宜園（かんぎえん）　③本居宣長（もとおりのりなが）：鈴屋

④吉田松陰：松下村塾（しょうかそんじゅく）　⑤シーボルト：鳴滝塾（なるたきじゅく）

問7 **次の文は、「教育基本法」の条文の一部である。（　A　）～（　C　）にあてはまる語句の正しい組み合わせを一つ選びなさい。**

第17条　（教育振興基本計画）

政府は、教育の振興に関する施策の総合的かつ計画的な推進を図るため、教育の振興に関する施策についての（　**A**　）及び講ずべき施策その他必要な事項について、基本的な計画を定め、これを（　**B**　）に報告するとともに、公表しなければならない。

2　地方公共団体は、前項の計画を参酌し、その（　**C**　）に応じ、当該地方公共団体における教育の振興のための施策に関する基本的な計画を定めるよう努めなければならない。

（組み合わせ）

	A	B	C
1	基本的な方針	国会	地域の実情
2	基本的な方針	国及び地方公共団体	学校、家庭及び地域
3	教育の機会均等	国会	地域の実情
4	教育の機会均等	国及び地方公共団体	学校、家庭及び地域
5	基本的な方針	国会	学校、家庭及び地域

問8 **次の文は「学校教育法」の記述の一部である。不適切な記述を一つ選びなさい。**

1　第3条　学校を設置しようとする者は、学校の種類に応じ、文部科学大臣の定める設備、編制その他に関する設置基準に従い、これを設置しなければならない。

2　第11条　校長及び教員は、教育上必要があると認めるときは、文部科学大臣の定めるところにより、児童、生徒及び学生に懲戒を加えることができる。ただし、体罰を加えることはできない。

3　第19条　経済的理由によつて、就学困難と認められる学齢児童又は学齢生徒の保護者に対しては、市町村は、必要な援助を与えなければならない。

4　第22条　幼稚園は、義務教育及びその後の教育の基礎を培うものとして、幼児を保育し、幼児の健やかな成長のために適当な環境を与えて、その心身の発達を助長することを目的とする。

5　第26条　幼稚園に入園することのできる者は、満3歳から、満5歳までの幼児とする。

解答・解説❼　答　1

A－基本的な方針

B－国会

C－地域の実情

教育基本法は教育原理では頻出している分野であり、近年では2022（令和4）年（後期）の第3条（生涯学習の理念）、2023（令和5）年（前期）の第11条（幼児期の教育）をはじめとして第2条、第9条、第10条、第16条が出題されている。その他、前文、第1条（教育の目的）、第13条（学校、家庭及び地域住民等の相互の連携協力）の出題がある。

前文

我々日本国民は、たゆまぬ努力によって築いてきた民主的で文化的な国家を更に発展させるとともに、**世界の平和**と**人類の福祉**の向上に貢献することを願うものである。

我々は、この理想を実現するため、個人の尊厳を重んじ、**真理と正義**を希求し、公共の精神を尊び、豊かな**人間性**と**創造性**を備えた人間の育成を期するとともに、伝統を継承し、新しい文化の創造を目指す教育を推進する。

ここに、我々は、日本国憲法の精神にのっとり、我が国の未来を切り拓く**教育の基本**を確立し、その振興を図るため、この法律を制定する。

解答・解説❽　答　5

第26条の条文は、正しくは「満3歳から**小学校就学の始期**に達するまでの幼児」である。

学校教育法は頻出範囲であり、条文の暗記が求められる。

1～**4**まではすべて条文通りなので、何度も読んで暗記しよう。2019（令和元）年には第24条、2020（令和2）年には第22条と第29条、2021（令和3）年前期には第11条、後期は第31条の語句補完問題が出されている。上記条文の他にも目を通しておこう。

問9 **次の教育評価に関する記述の（　）にあてはまる語句として、最も適切なものを一つ選びなさい。**

相対評価とは、教育評価の一つで、集団内における相対的位置を明らかにする評定方法である。1948（昭和23）年に学業成績の評価の一つとして導入され、1955（昭和30）年の学習指導要領の改訂で重視する方向になったが、1980（昭和55）年の指導要録には観点別学習状況欄が設けられ、到達度評価の原理が取り入れられた。

また、2002（平成14）年に実施されたゆとり教育から（　　　　）が導入されている。

1　絶対評価　　**4**　個人内評価
2　相対評価　　**5**　形成的評価
3　認定評価

問10 **次の文は、文部科学省「生徒指導提要」（令和4年12月）の条文の一部である。（　A　）～（　C　）にあてはまる語句の正しい組み合わせを一つ選びなさい。**

生徒指導は、児童生徒が自身を（　**A**　）存在として認め、自己に内在しているよさや可能性に自ら気付き、引き出し、伸ばすと同時に、社会生活で必要となる社会的資質・能力を身に付けることを支える働き（機能）です。したがって、生徒指導は学校の（　**B**　）を達成する上で重要な機能を果たすものであり、学習指導と並んで学校教育において重要な意義を持つものと言えます。（中略）

また、生徒指導の目的を達成するためには、児童生徒一人一人が（　**C**　）を身に付けることが重要です。児童生徒が、深い自己理解に基づき、「何をしたいのか」、「何をするべきか」、主体的に問題や課題を発見し、自己の目標を選択・設定して、この目標の達成のため、自発的、自律的、かつ、他者の主体性を尊重しながら、自らの行動を決断し、実行する力、すなわち、「（　**C**　）」を獲得することが目指されます。

（組み合わせ）

	A	B	C
1	社会的	教育目標	生きる力
2	社会的	教育目的	自己指導能力
3	個性的	教育目標	自己指導能力
4	個性的	教育目標	問題解決能力
5	個性的	教育目的	生きる力

解答・解説⑨

答　1

1○　**絶対評価**とは設定された教育目標や社会的期待の水準を基準にして、**個人がどこまで到達できたか**によって評価する方法。評価者の主観が影響を与えやすい点が問題とされる。絶対評価には到達度評価と認定評価の2つがあり、到達度評価は設定した目標に対して、どこまで個人が到達できたかを評価する。2002（平成14）年から日本の公立学校において、この到達度評価である絶対評価が導入されている。

2×　相対評価とは**集団内における相対的位置**を明らかにする評定方法。他者との比較により評価するため、個人の努力を適切に評価できないとされる。

3×　認定評価は絶対評価の一つで、**評価基準が公開されにくい**、道徳や音楽、芸事などで用いられる。

4×　個人内評価とは**個人の長所や進歩**を評価する方法。

5×　形成的評価は学習過程における**学習の達成状況の評価**であり、2017（平成29）年に出題されている。

教育評価はよく出題される**基本的事項**なので確認しておこう。

解答・解説⑩

答　3

A－個性的

B－教育目標

C－自己指導能力

文部科学省「生徒指導提要」（令和4年12月）第1章「生徒指導の基礎」1.1「生徒指導の意義」1.1.1「**生徒指導の定義と目的**」に明記されている。

アドバイス

「生徒指導提要」と同様に、文部科学省「**問題行動を起こす児童生徒に対する指導について**（通知）」（平成19年2月5日）も過去に出題されており、ぜひ押さえておきたい。生徒指導の充実を図るための生徒指導体制の在り方、生徒指導の運営方針の見直しにも注目しよう。

また、「生きる力」は近年頻出されている重点課題である。生きる力は「確かな学力」「豊かな心」「健やかな体」からなる力と覚えておこう。

問11 **次の文は「第４期教育振興基本計画」（令和５年６月）に記されている「５つの基本的な方針」である。（　A　）～（　C　）にあてはまる語句の正しい組み合わせを一つ選びなさい。**

①グローバル化する社会の（　A　）に向けて学び続ける人材の育成
②誰一人取り残されず、全ての人の可能性を引き出す（　B　）の実現に向けた教育の推進
③地域や家庭で共に学び支え合う社会の実現に向けた教育の推進
④教育（　C　）（DX）の推進
⑤計画の実効性確保のための基盤整備・対話

（組み合わせ）

	A	B	C
1	英語力強化	共生社会	デジタルトランスフォーメーション
2	英語力強化	ウェルビーイング	ICTの活用
3	持続的な発展	共生社会	デジタルトランスフォーメーション
4	持続的な発展	ウェルビーイング	ICTの活用
5	持続的な発展	共生社会	ICTの活用

問12 **次の文は、「児童の権利に関する条約」の一部である。（　A　）～（　C　）にあてはまる語句の正しい組み合わせを一つ選びなさい。**

1　締結国は、児童の教育が次のことを指向すべきことに同意する。

(a)　児童の人格、才能並びに（　A　）な能力をその可能な最大限度まで発達させること。

(b)　人権及び基本的自由並びに（　B　）にうたう原則の尊重を育成すること。

(e)　（　C　）の尊重を育成すること。

（組み合わせ）

	A	B	C
1	種族的、国民的	国際連合憲章	自由な社会
2	精神的及び身体的	国際連合憲章	心身の発育
3	精神的及び身体的	国際連合憲章	自然環境
4	種族的、国民的	児童憲章	自然環境
5	精神的及び個性的	児童憲章	心身の発育

解答・解説⑪　答　3

A－持続的な発展

B－共生社会

C－デジタルトランスフォーメーション

教育振興基本計画とは「教育基本法」に基づき、政府が策定する教育に関する総合計画である。2023（令和5）年6月閣議決定した「第4期教育振興基本計画」では、総括的な基本方針として、

・2040年以降の社会を見据えた**持続可能な社会の創り手**の育成

・日本社会に根差した**ウェルビーイングの向上**

が記されている。問題にあった5つの基本的な方針と共に総括的な基本方針にも目を通しておくとよい。また、これに関わる資料として「「令和の日本型学校教育」の構築を目指して～全ての子供たちの可能性を引き出す，個別最適な学びと，協働的な学びの実現～（答申）」（中教審第228号）（令和3年4月）がある。

アドバイス

「教育振興基本計画」とは、教育基本法に基づき、政府が策定する教育に関する総合計画である。5年ごとに見直され、2023（令和5）～2027（令和9）年度が第4期になる。

解答・解説⑫　答　3

A－精神的及び身体的

B－国際連合憲章

C－自然環境

「**児童の権利に関する条約**」は「**児童の権利に関する宣言**」を受けて採択された重要な条約である。ほかにも保育原理などで出題されており、この第29条のほかにも第5条、第7条、第9条、第12条、第18条、第28条に目を通しておくとよい。

問13 **次の文は「子どもの貧困対策の推進に関する法律」（令和５年４月）の条文の一部である。（　A　）～（　C　）にあてはまる語句の正しい組み合わせを一つ選びなさい。**

（基本理念）

第二条　子どもの貧困対策は、社会のあらゆる分野において、子どもの年齢及び発達の程度に応じて、その意見が尊重され、その（　**A**　）が優先して考慮され、子どもが心身ともに健やかに育成されることを旨として、推進されなければならない。

2　子どもの貧困対策は、子ども等に対する教育の支援、（　**B**　）に資するための支援、職業生活の安定と向上に資するための就労の支援、経済的支援等の施策を、子どもの現在及び将来がその生まれ育った環境によって左右されることのない社会を実現することを旨として、子ども等の生活及び取り巻く環境の状況に応じて包括的かつ早期に講ずることにより、推進されなければならない。

3　子どもの貧困対策は、子どもの貧困の背景に様々な社会的な要因があることを踏まえ、推進されなければならない。

4　子どもの貧困対策は、国及び（　**C**　）の関係機関相互の密接な連携の下に、関連分野における総合的な取組として行われなければならない。

（組み合わせ）

	A	B	C
1	最善の利益	生活の安定	地方公共団体
2	最善の利益	義務教育	学校
3	家族の安全	生活の安定	学校
4	家族の安全	義務教育	地方公共団体
5	最善の利益	生活の安定	学校

問14 **次の条例の出典はどれか。正しいものを一つ選びなさい。**

全て児童は、児童の権利に関する条約の精神にのつとり、適切に養育されること、その生活を保障されること、愛され、保護されること、その心身の健やかな成長及び発達並びにその自立が図られることその他の福祉を等しく保障される権利を有する。

1　児童憲章

2　児童の権利に関する条約

3　児童福祉法

4　教育基本法

5　日本国憲法

解答・解説⑬　答　1

A－最善の利益
B－生活の安定
C－地方公共団体

2021（令和 3）年に内閣府によって行われた「子供の生活状況調査の分析報告書」によれば、等価世帯収入の内、準貧困層が 36.9%、貧困層が 12.9%であった。ひとり親家庭では貧困層が 50.2%であり、貧困の連鎖を断ち切るための対策が急務となっている。同法は子どもの現在及び将来がその生まれ育った環境によって左右されることのないよう、全ての子どもが心身ともに健やかに育成され、及びその教育の機会均等が保障され、子ども一人一人が夢や希望を持つことができるようにするため、子どもの貧困の解消に向けて、児童の権利に関する条約の精神にのっとり、子どもの貧困対策に関し、基本理念を定め、国等の責務を明らかにし、及び子どもの貧困対策の基本となる事項を定めることにより、**子どもの貧困対策を総合的に推進**することを目的としている。指標の改善に向けた重点施策にも目を通し、教育の機会均等という言葉と保護者に対する家庭教育を支える家庭教育支援チームというワードにも触れておこう。

解答・解説⑭　答　3

設問は、2016（平成 28）年に改正された児童福祉法の第 1 条である。この時の改正では「児童の権利に関する条約の精神にのつとり」と明記、子どもの能動的**権利尊重**について示した。また、児童育成の**第一義的責任が保護者にある**ことが第 2 条で示された。

厚生労働省によれば、これまで児童虐待防止のために種々の対策を講じても虐待による重篤な死亡事例が後を絶たず、児童相談所の児童虐待相談対応件数が増加の一途をたどるなど、依然として子ども、その保護者、家庭を取り巻く環境は厳しい。孤立した状況に置かれている保護者、各種の地域子ども・子育て支援事業についても支援を必要とする要支援児童等に十分に利用されておらず、子育て世帯の負担軽減等に対する効果が限定的なものとなっている。

子育てに困難を抱える世帯がこれまで以上に顕在化してきている状況等を踏まえ、児童等に対する家庭及び養育環境の支援を強化し、児童の権利の擁護が図られた児童福祉施策を推進するため、**要保護児童等への包括的かつ計画的な支援**の実施の市町村業務への追加、市町村における児童福祉及び母子保健に関し包括的な支援を行う**こども家庭センター**の設置の努力義務化、子ども家庭福祉分野の**認定資格**創設、市区町村における子育て家庭への支援の充実等を内容とする「**児童福祉法等の一部を改正する法律**」が 2022（令和 4）年 6 月 8 日に成立している。

問15 **次のA～Eは、日本の教育についての記述である。これらを年代の古い順に並べた場合の正しい組み合わせを一つ選びなさい。**

A　野口幽香、森島峰により、二葉幼稚園が開設された。

B　保育所保育指針が制定された。

C　森有礼が諸学校令を制定。この中の小学校令にて小学校が教育機関と位置付けられる。

D　幼稚園令が制定。3歳未満の幼児にも入園が認められる。

E　教育基本法、学校教育法、児童福祉法が制定される。

（組み合わせ）

1　A → C → B → D → E
2　C → A → D → E → B
3　D → E → B → C → A
4　C → D → A → E → B
5　E → C → D → A → B

問16 **次の文は、「教育基本法」第2条の一部である。（　A　）～（　C　）にあてはまる語句の正しい組み合わせを一つ選びなさい。**

一　幅広い知識と教養を身に付け、真理を求める態度を養い、（　**A**　）と道徳心を培うとともに、健やかな身体を養うこと。

二　個人の価値を尊重して、その能力を伸ばし、創造性を培い、自主及び自律の精神を養うとともに、職業及び生活との関連を重視し、勤労を重んずる態度を養うこと。

三　正義と責任、男女の平等、自他の敬愛と協力を重んずるとともに、公共の精神に基づき、主体的に社会の形成に参画し、その発展に寄与する態度を養うこと。

四　生命を尊び、自然を大切にし、（　**B**　）に寄与する態度を養うこと。

五　伝統と文化を尊重し、それらをはぐくんできた我が国と郷土を愛するとともに、他国を尊重し、（　**C**　）と発展に寄与する態度を養うこと。

（組み合わせ）

	A	B	C
1	生きる力	環境の保全	国際社会の平和
2	豊かな情操	良好な環境の整備	社会教育の復興
3	豊かな情操	環境の保全	国際社会の平和
4	生きる力	良好な環境の整備	教育の振興
5	豊かな情操	環境の保全	社会教育の復興

解答・解説⑮　答 2

日本の教育史の並べ替え問題である。教育史については、どのような順番を経て法令が定められていったのかを知る必要がある。

1871（明治4）年に文部省が設立、1872（明治5）年に学制制定、1876（明治9）年に**東京女子師範学校附属幼稚園**がわが国初の官立幼稚園として開設される。その後、1879（明治12）年に学制が廃止され、1886（明治19）年に森有礼による諸学校令で、小学校が教育機関として位置付けられる。（C）

1890（明治23）年、教育勅語が発布。1899（明治32）年に幼稚園保育及設備規程により、幼稚園の保育目的などが初めて定められる。1900（明治33）年、**二葉幼稚園**が開設される。（A）

1926（大正15）年**幼稚園令**が制定される。これにより、幼稚園は小学校から独立した施設となる。（D）

1946（昭和21）年、日本国憲法が制定。1947（昭和22）年にわが国の教育理念の規定となる教育基本法、学校教育法、児童福祉法が制定される。（E）

1948（昭和23）年、保育要領が刊行。1956（昭和31）年、幼稚園教育要領が制定される。1965（昭和40）年、保育所保育指針が制定される。（B）

したがって、古い順に並べると、C→A→D→E→Bとなる。

解答・解説⑯　答 3

A－豊かな情操

B－環境の保全

C－国際社会の平和

教育基本法第2条からの出題である。教育基本法は前文、第1条教育の目的、第2条教育の目標、第3条生涯学習の理念、第4条教育の機会均等、第5条義務教育、第6条学校教育、第7条大学、第8条私立学校、第9条教員、第10条家庭教育、第11条幼児期の教育、第12条社会教育、第13条学校、家庭及び地域住民等の相互の連携協力、第14条政治教育、第15条宗教教育、第16条教育行政、第17条教育振興基本計画、第18条法令の制定で構成される。頻繁に出題されるため、目を通しておくとよい。

問17 **次のうち、A～Eの諸外国の教育についての記述と国名の組み合わせとして正しいものを一つ選びなさい。**

A　就学前教育は幼稚園や小学校付設幼児学級で行われ、2～5歳児が対象。義務教育は3～16歳。小学校卒業後はコレージュ、その後リセと呼ばれる高等学校に通う。

B　州により義務教育の期間が異なる。現在でも10年の州が多いが、義務教育期間を延長する州が増えている。ホームスクーリング等は「就学義務免除」の扱いである。

C　3～5歳児を対象に幼稚園教育、0～5歳児の保育を行う保育所があり、保育所の3～5歳児クラスでは幼稚園と共通の課程を実施している。義務教育年限は6～15歳。サイバー大学と呼ばれる通信制の大学もある。

D　義務教育年限は、5～16歳。小学校に入る前にレセプションと呼ばれる義務教育準備期間がある。

E　義務教育年限は6～15歳。大学に入学するには専門の教育機関（ギムナジウム）の卒業が基本条件となっている。若年からの職業教育が確立されている。

（組み合わせ）

	A	B	C	D	E
1	ドイツ	イギリス	韓国	アメリカ	フランス
2	フランス	アメリカ	韓国	イギリス	ドイツ
3	イギリス	ドイツ	アメリカ	韓国	フランス
4	韓国	アメリカ	イギリス	ドイツ	フランス
5	アメリカ	フランス	韓国	イギリス	ドイツ

解答・解説⑰　　答　2

諸外国の教育制度についての問題はたびたび教育原理の中に出てくる。諸外国の教育についてはまず義務教育年限を知っておくこと、それぞれの国の特徴的な単語を知っておくことが必要とされる。

特徴的な単語としてはフランスが**リセ**、**コレージュ**、韓国は**サイバー大学**、**3歳～5歳の教育課程であるヌリ課程**、ドイツの**ギムナジウム**などがある。ここ数年はニュージーランドの幼児教育プログラム**テ・ファリキ**、同じくニュージーランドの子どもの観察記録であるラーニングストーリー、オランダの異年齢学級が特徴の**イエナ・プラン**なども出題された。2024（令和6）年前期試験ではイギリスの学校系統図について出題されている。

特徴的な単語を知っておくことはもちろん、普段から諸外国の教育制度に関心を持ち、それぞれの国独自の教育方法について知識を深めておこう。

社会的養護

社会的養護

正答数　1回目 ／15　2回目 ／15

問1 **次のうち、児童相談所の一時保護に関する記述として、適切なものの組み合わせを一つ選びなさい。**

A　一時保護は、子どもの今後の援助方針を立てるために行う場合がある。

B　一時保護期間中の子どもの意見をくみ上げる方法や体制を整備しておく。

C　保護した全ての子どもの、外出、通学、通信、面会は制限する。

D　一時保護は、子どもの同意が必要である。

（組み合わせ）

1　A　B

2　A　D

3　B　C

4　B　D

5　C　D

問2 **次のうち、被措置児童等虐待の防止等に関する記述として、適切な記述を一つ選びなさい。**

1　「児童福祉法」において、被措置児童への虐待行為として、経済的虐待が含まれる。

2　「児童福祉法」において、被措置児童等自身による児童相談所への虐待被害の届出が規定されている。

3　被措置児童等虐待の通告を行う場合は、個人情報保護法に基づき被害児童の同意を得て行われる必要がある。

4　施設職員（施設長を除く）が行う虐待については、児童虐待防止法に規定する児童虐待の対象になる。

5　都道府県知事は、３年に１回、被措置児童等虐待の状況、被措置児童等虐待があった場合に講じた措置等を公表しなければならない。

「社会的養育の推進に向けて」（こども家庭庁）「児童養護施設入所児童等調査等結果」（厚生労働省）などの発表資料や各施設種別の運営指針には必ず目を通しておこう。問題の多くがこうした資料等から出題される傾向にある。特に施設や里親の状況は、社会的養護を象徴する情報になる点を押さえておこう。

解答・解説❶　答　1

A○　一時保護の機能は、虐待等のようなケースの緊急保護と、既に児童福祉施設措置等をしている子どもの**総合的アセスメント**のための一時保護がある。

B○　職員との関係性の中で子どもが意見を語れるようにするだけでなく、相談のきっかけとなる**投書箱**や**第三者委員**を設置することが求められている。

C×　子どもの安全の確保が図られつつ、一時保護の目的が達成できる範囲で**必要最小限**の制限にすることが求められている。

D×　**安全確保**のために必要な場合は、その子どもの同意を得なくても保護することができるが、子どもや保護者の**同意を得る努力**も必要である。

解答・解説❷　答　2

1×　児童福祉法において、被措置児童等への虐待行為として規定されているのは、**身体的虐待、性的虐待、ネグレクト、心理的虐待**である（児童福祉法第 33 条の 10）。経済的虐待が含まれるのは、高齢者虐待及び障害者虐待である（高齢者虐待防止法第 2 条第 4 項、障害者虐待防止法第 2 条第 6 項）。

2○　被措置児童等は、被措置児童等虐待を受けたときは、その旨を**児童相談所、都道府県**の行政機関又は**都道府県児童福祉審議会**に届け出ることができる（児童福祉法第 33 条の 12 第 3 項）。

3×　被措置児童等虐待の通告は個人情報を含むことが一般的であるが、刑法の秘密漏示罪の規定その他の守秘義務に関する法律の規定は、通告をすることを**妨げるものと解釈してはならない**（同法第 33 条の 12 第 4 項）。

4×　施設職員として養護に従事する者については、施設長の指揮命令に従って一定の業務に従事している立場であることから、児童虐待防止法で規定する「**保護者**」**には該当しない**（施設長は、児童を現に監護する者として、同法に規定する「保護者」に該当する）。したがって、施設職員は、児童虐待防止法に規定する児童虐待の対象には含まれないが、**児童福祉法**に基づく被措置児童等虐待の対象になる。

5×　都道府県知事は、**毎年度**、被措置児童等虐待の状況、被措置児童等虐待があった場合に講じた措置その他内閣府令で定める事項を**公表**する（同法第 33 条の 16）。

問3 **次のうち、社会的養育における自立支援計画に関する記述として、不適切な記述を一つ選びなさい。**

1　自立支援計画策定において、責任者を設置する。

2　里親およびファミリーホームにおいては、家庭と同様の養育環境における養育であるため、自立支援計画の策定は必要ない。

3　施設で策定した自立支援計画は、児童相談所と共有する。

4　自立支援計画の内容を再評価する際は、子どもの意向を確認し、子どもの最善の利益に配慮して策定する。

5　自立支援計画の目標は、子どもにもわかりやすい表現にすることが望ましい。

問4 **次のうち、特別養子縁組に関する記述として、適切なものを○、不適切なものを×とした場合の正しい組み合わせを一つ選びなさい。**

A　特別養子縁組の成立のためには、養親となる者が請求する必要がある。

B　養親となる者は、配偶者がいなければならない。

C　養親となる者の年齢は、25歳以上でなければならない。

D　養子縁組の成立後、養子となった者の戸籍には、「養子」と記載される。

（組み合わせ）

	A	B	C	D
1	○	○	○	○
2	○	○	○	×
3	○	×	○	×
4	×	×	×	○
5	×	○	×	×

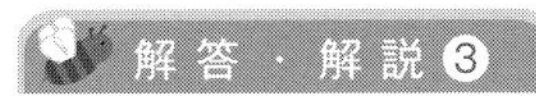

解答・解説❸ 　答 2

1○　策定責任者を設置し、策定した計画は施設内の全職員で共有し、**共通認識**のもとで養育・支援の一貫性を保つことが目指されている。

2×　里親及びファミリーホームも含め、措置もしくは委託した**全児童**に対して自立支援計画を策定する。

3○　なお、児童相談所とは計画策定後だけでなく、**計画策定前**の援助方針等についても打ち合わせを行い、その内容を自立支援計画に反映させる。

4○　子どもの意向の他にも、**保護者の意向**や**関係機関の意見**も踏まえて、子どもの最善の利益に配慮した支援を検討する。

5○　目標は子どもに理解できる努力目標を示して**説明**し、課題だけでなく、**伸ばしたいところ**も目標としていく。

解答・解説❹ 　答 2

A○　家庭裁判所は、養親となる者の請求によって、実親との親族関係を終了させて縁組を成立させる。

B○　特別養子縁組は、「**養親の夫婦共同縁組**」を原則としており、養親となる夫婦の一方は、他の一方が養親とならない時は、養親となることができない。

C○　養親となる者は、**25歳**に達していることが条件となっている。ただし、夫婦の一方が25歳に達していない場合でも、その者が20歳に達していれば養親になれる。

D×　養子となった者の戸籍には、「養親の氏名及び養親との続柄」が記載されるため、「**長男**」等と記載される。

問 5 **次のうち、母子生活支援施設に関する記述として、不適切な記述を一つ選びなさい。**

1 母子生活支援施設における支援は、親子、家庭の方針を重視して行う。

2 母子生活支援施設は、母親の就労が決定した時点で退所しなければならない。

3 母子生活支援施設では、DV の影響による心理的ケアも行う。

4 母子生活支援施設は、妊産婦も利用することができる。

5 母子生活支援施設は、児童虐待防止の役割も担っている。

問 6 **次の文は、「フォスタリング機関（里親養育包括支援機関）」の業務内容に関する記述である。適切な記述を一つ選びなさい。**

1 養子縁組成立後の養親及び養子への支援もフォスタリング業務に含まれる。

2 フォスタリング機関が行う里親希望者に対するアセスメントは、マッチングの際に実施する。

3 里親委託後に行う研修は、里親の知識の定着のみを目指して行う。

4 フォスタリング機関は、リクルート、アセスメント及び研修において把握した里親家庭に関する情報共有を児童相談所と行うことが求められている。

5 里親委託が不調となった場合、フォスタリング機関は主に子どもの不安を緩和する対応を行う。

解答・解説❺　答 2

1○　**利用者の意向**を尊重しながら、母親と子どもがそれぞれ抱える課題と、日常の生活支援を、高い専門性をもって目的や目標を設定し必要な支援を提供する。

2×　退所の時期は、各家庭が抱える課題が解決し、地域での生活を**安定して送る**ことができる見通しが立ったときである。また、退所の判断は、利用者、**福祉事務所**、施設の三者で確認したうえで決定する。

3○　DV被害のある家庭には、DVに関する**情報**と**知識**を提供し、必要に応じて医師やカウンセラーと連携しながら**心理療法**を活用した支援を行う。

4○　支援を行うことが特に必要であると認められる妊産婦においては、**女性相談支援センター**（2024〔令和6〕年4月1日より婦人相談所から名称変更）が行う一時保護の委託先として母子生活支援施設を利用することができる。

5○　母親の育児に関する不安や悩み等の**発見**に努め、適切な子育てに関する助言や説明に留まらず、必要に応じて引率等の**介助**支援を職員は支援の一環として行う。

解答・解説❻　答 4

1×　親族里親や養子縁組里親もフォスタリング業務における支援対象に含まれるが、養子縁組**成立後**の養親及び養子への**支援**についてはフォスタリング業務には**当たらない**。

2×　アセスメントの目的は、里親になろうとする動機が、里親制度の趣旨や、希望する里親種別と合っているかどうか等、里親としての適性を丁寧に確認する作業であり、**マッチングや委託後の支援材料**となるものである。

3×　研修は、実際に里親が直面していることを取り扱うなど実践的な内容にとどまらず、演習やレクリエーションの機会を取り入れ、里親同士のピアサポートを通じて、知識の定着や**互助関係の醸成**も期待して行われる。

4○　児童相談所は、フォスタリング機関によるアセスメントを十分踏まえたうえで、里親委託措置を決定するため、フォスタリング機関と細やかな情報共有に努めることが求められている。

5×　委託解除は、子どもにとって現在の生活環境の喪失体験であり、里親にとっても、里親であることの喪失感を生み出す。そのため、**双方**に対する十分な**フォロー**を行うこととされている。

問7 次のうち、児童養護施設における子どもの権利擁護を意識した支援に関して、適切な記述を一つ選びなさい。

1 子どもには、自身の生い立ちに関する情報は必要最小限にとどめて知らせる。

2 子どものニーズにはすべて沿うよう支援を行う。

3 暴力や不適切な行動をとる子どもに対しては、速やかに児童自立支援施設等への施設変更を検討する。

4 施設入所後は、子どものそれまでの生活とつながりを断ち、施設での新たな生活になじんでいくよう子どもに促す。

5 施設内に、子どもや保護者のための苦情解決の仕組みを整備する。

問8 次の【事例】を読んで、【設問】に答えなさい。

【事例】

Fホーム（地域小規模児童養護施設）は、3名の保育士と児童指導員で、6名の児童の養育を行っている。新人R保育士は、I君（中学3年生、男児）との日々の関わりにも戸惑っていたが、I君の年少児たちに対する威圧的な態度と、それに伴うI君へ遠慮して生活をする年少児たちの姿についても気になっていた。

【設問】

次のうち、児童養護施設における対応として、不適切なものを一つ選びなさい。

A I君から威圧的に関わられている年少児のみと、積極的に関わるようにする。

B 子ども同士の遊びに積極的に関わり、子ども同士の不適切な関係に対しては毅然とした態度で対応する。

C 子ども間の暴力やいじめについて、ホーム会議で予防策や発生時の対応を話し合う。

D 他者の権利を守ることの大切さについて、子どもと話し合う機会をもつ。

（組み合わせ）

	A	B	C	D
1	×	○	○	○
2	×	○	×	○
3	○	×	×	○
4	○	○	○	×
5	×	○	○	×

解答・解説⑦　　答　5

1× 子どもが自身の生い立ちを知ることは、**自己形成**に必要な情報であることから、職員は子どもの発達に応じて、伝え方等を工夫しながら可能な限り**事実**を伝える。

2× 子どもの意向に沿うことが子どもの利益につながることばかりではないため、職員同士の共通理解や意見交換等を通じて、子どもの意向に沿えない場合には、**丁寧な説明**を行うことが求められる。

3× 不適切な行動に対して伝えるべきことは伝えるが、職員はその行動をとる背景を理解しようとしたり、予防策や**他者の権利**を守ることの大切さについて子どもと**話し合う機会**を持つことが求められる。

4× 入所前の生活がどのような状況であったとしても、子どもの**人生の一部**として、家族や友人、地域から離れて生活する子どもの気持ちを理解する**姿勢**を持つことが求められる。そのうえで、新たな居場所づくりを進める丁寧な支援や環境づくりを行っていく。

5○ 児童福祉施設は、その行った援助に関する入所している者又はその保護者等からの苦情に迅速かつ適切に対応するために、苦情を受け付けるための**窓口を設置する**等の必要な措置を講じなければならない（「児童福祉施設の設備及び運営に関する基準」第14条の3第1項）。

解答・解説⑧　　答　1

A× I君を含め、すべての子どもとの関わりを通して、他者との接し方を職員が模範となって示していく。

B○ 子どもの遊びに関与する中で、**子ども同士の関係性**把握にも努める。

C○ 暴力やいじめについての**対応マニュアル**を作成するなど、問題が発覚した場合の適切な対応システムを整えていく。

D○ 話し合いの中で、施設内では、心理的な負担を含むいかなる暴力も認めないことも伝えていく。

次の文は、児童福祉施設に配置されている職員に関する記述である。適切な記述を○、不適切な記述を×とした場合の正しい組み合わせを一つ選びなさい。

A 乳児院には、看護師の配置が義務付けられている。

B 母子生活支援施設には、児童指導員の配置が義務付けられている。

C 家庭支援専門相談員の資格要件は、児童養護施設等において児童の養育に3年以上従事した者である。

D 個別対応職員が配置されるのは、児童養護施設、乳児院、児童心理治療施設、児童自立支援施設、母子生活支援施設、児童自立生活援助事業所及びファミリーホームである。

(組み合わせ)

	A	B	C	D
1	○	×	×	○
2	○	×	○	×
3	×	○	×	×
4	○	×	○	○
5	×	○	×	○

問10 **次の文は、里親及び小規模住居型児童養育事業(ファミリーホーム)に関する記述である。不適切な記述を一つ選びなさい。**

1 里親に養育を委託する子どもはすべての要保護児童が対象である。

2 小規模住居型児童養育事業(ファミリーホーム)は、「社会福祉法」に定める第二種社会福祉事業である。

3 小規模住居型児童養育事業(ファミリーホーム)の委託児童の定員は、5人又は6人とする。

4 里親への委託については、子どもが里親委託を断ることができる。

5 里親及び小規模住居型児童養育事業(ファミリーホーム)へ委託する児童の割合は、要保護児童全体の3割である。

解答・解説❾ 答 1

A○　看護師は、**保育士**又は**児童指導員**に代えることができる。ただし、乳幼児 10 人の乳児院には 2 人以上、10 人を超える場合は、10 人増すごとに 1 人以上の看護師を置かなければならない（「児童福祉施設の設備及び運営に関する基準」第 21 条）。

B×　児童指導員が配置される児童福祉施設は、**乳児院**（看護師との読み替えを含む）、**児童養護施設**、**障害児入所施設**、**児童発達支援センター**、**児童心理治療施設**である。

C×　家庭支援専門相談員は、児童福祉法第 13 条第 3 項各号のいずれかに該当する者のほか、児童養護施設等において児童の養育に **5 年**以上従事した者等である（「家庭支援専門相談員、里親支援専門相談員、心理療法担当職員、個別対応職員、職業指導員及び医療的ケアを担当する職員の配置について」第 1 ）。

D○　個別対応職員の業務内容は、①被虐待児童等特に個別の対応が必要とされる児童への**個別面接**、②当該児童への**生活場面**での 1 対 1 の対応、③当該児童の**保護者への援助**に大別できる。

解答・解説❿ 答 5

1○　「里親委託ガイドライン」によると、里親委託する子どもは、新生児や高年齢児などの子どもの年齢にかかわらず、施設入所が長期化している子どもや、短期委託が必要な子ども、障害のある子ども、非行児童等、**すべての子どもが対象**とされるべきであると明記されている。

2○　小規模住居型児童養育事業（ファミリーホーム）は、「社会福祉法」第 2 条第 3 第 2 号に記載されている、**第二種社会福祉事業**の中に含まれている。

3○　「小規模住居型児童養育事業（ファミリーホーム）実施要綱」の第 4 に対象人員として記載されている。なお、これらの児童を 2 人の養育者及び 1 人以上の補助者で養育を行う（同要綱第 7 の（1））。

4○　「里親委託ガイドライン」には、児童相談所の職員は、子どもに対して、里親や里親家庭の状況を事前に子どもへ説明した上で里親との面会を行ったり、子どもが里親委託を断ることができることも説明するよう明記されている。

5×　「社会的養育の推進に向けて」（令和 6 年 2 月）によると、全体の要保護児童数 4 万 1,773 人のうち里親及び小規模住居型児童養育事業（ファミリーホーム）委託児童の割合は **18.7%**である（里親委託児童数 6,080 人、小規模住居型児童養育事業 1,718 人）。

次の文は、「児童養護施設運営指針」において示された社会的養護の原理の記述である。適切な記述を○、不適切な記述を×とした場合の正しい組み合わせを一つ選びなさい。

A 社会的養護は、親に代わって、子どもの発達や養育を保障していく包括的な取り組みである。

B 社会的養護における養育は、人とのかかわりをもとにした営みである。

C 虐待体験や分離体験などに対する専門的、治療的な支援は行わない。

D 子どもたちへの支援は、入所や委託を終えた後の暮らしを見通した支援が求められている。

(組み合わせ)

	A	B	C	D
1	○	×	○	×
2	○	○	○	×
3	×	○	×	×
4	×	×	×	○
5	×	○	×	○

問12 **次の文は、社会的養護関係施設における第三者サービス評価に関する記述である。適切な記述を○、不適切な記述を×とした場合の正しい組み合わせを一つ選びなさい。**

A 児童養護施設は、必要に応じて第三者評価を受審するように努める。

B 乳児院は、第三者評価の受審が義務付けられている。

C 受審した施設の第三者評価の結果は、市町村が公表する。

D 第三者評価の受審が義務付けられている施設は、自己評価を行う必要はない。

(組み合わせ)

	A	B	C	D
1	○	○	×	×
2	○	×	×	○
3	×	○	○	×
4	×	×	○	○
5	×	○	×	×

答　5

A×　社会的養護は、代替養育だけでなく、適切な養育環境を保てず、困難な状況におかれている親子に対して、問題状況の解決や緩和をめざし、**親と共に、親を支えながら**、子どもの育ちを保障している（「家族との連携・協働」）。

B○　「継続的支援と連携アプローチ」として、様々な社会的養護の担い手の連携により、**支援の一貫性・継続性・連続性**というトータルなプロセスを確保し、その道すじは子ども自身にも理解されるようなものであることが必要である。

C×　その子どもに応じた成長や発達を支える支援だけでなく、虐待体験や分離体験などによる**悪影響からの癒しや回復**をめざした専門的ケアや心理的ケアなどの**治療的な支援**も社会的養護の養育には求められている（「回復をめざした支援」）。

D○　社会的養護における「ライフサイクルを見通した支援」とは、入所や委託終了後も長くかかわりを持ち続け、**帰属意識を持つことができる存在**になっていくことが重要である。また、虐待や貧困の世代間連鎖を断ち切っていけるような支援も求められている。

解答・解説⑫

答　5

A×　児童養護施設には、2012（平成24）年4月から**第三者評価**の受審が**義務**付けられている。

B○　**乳児院、児童養護施設、児童心理治療施設、児童自立支援施設、母子生活支援施設**は、3年に1回以上、第三者評価を受審することが**義務**付けられている。

C×　第三者評価の受審が義務付けられている施設の第三者評価の結果は、**全国推進組織**（全国社会福祉協議会）が評価機関から報告を受けて公表するものである。なお、都道府県推進組織でも重ねて公表することができる。

D×　第三者評価の受審が義務付けられている施設は、第三者評価を受審しない年においても、第三者評価の項目に準じて**自己評価**を行わなければならない。

問13 **次の文は、令和5年2月1日現在の「児童養護施設入所児童等調査の概要」に関する記述である。適切な記述を一つ選びなさい。**

1 里親申込みの動機は、「養子を得たいため」が最も多い。

2 自立援助ホームに入所している児童のうち、心身の状況について、障害等があるとされた児童は7割を超えている。

3 乳児院に入所している児童の今後の見通しについては、「現在の乳児院で養育」の割合が最も高い。

4 里親へ委託されている児童の被虐待経験の有無の割合は、「虐待経験なし」よりも「虐待経験あり」の方が多い。

5 児童養護施設に入所している児童の大学または短期大学への進学希望の割合は、「希望する」と答えた割合が4割を超えている。

問14 **次のうち、「社会的養育の推進に向けて（令和6年2月）」に関する記述として、正しいものを二つ選びなさい。**

1 国や地方公共団体の責務として、「小規模住居型児童養育事業（ファミリーホーム）」や「里親」などの「良好な家庭的環境」における養育を推進していく。

2 乳児院や児童養護施設の今後は、小規模化に留まらず、地域分散化が推進されている。

3 乳幼児の施設での滞在期間は、原則1年以内とする。

4 児童養護施設の入所児童の大学進学率は、1割未満である。

5 児童養護施設等から退所する児童が、自動車運転免許を取得するために必要な費用を借りることができる制度がある。

解答・解説⑬　答　3

1× 里親申込みの動機別をみると、「**児童福祉への理解から**」が49.7%で最も多く、次いで「子どもを育てたいから」が26.1%、「養子を得たいため」が11.7%となっている。

2× 自立援助ホームに入所している児童の心身の状況について、「該当あり」の割合は、全体の50.8%であった。そのうち、最も多い障害は、「**注意欠陥多動性障害（ADHD）**」が16.9%、次いで、「**広汎性発達障害（自閉症スペクトラム）**」14.7%であった。

3○ 乳児院では、「**現在の乳児院で養育**」が36.2%で最も高く、続いて「保護者のもとへ復帰」が22.6%、「児童養護施設へ」が16.1%の順となっている。

4× 里親へ委託されている児童の被虐待経験の割合は、「虐待経験あり」が46.0%に対して、「虐待経験なし」は**49.5**%となっている。

5× 児童養護施設に入所している児童の大学または短期大学への進学希望については、「希望する」が**35.6**%、「考えていない」が29.2%、「希望しない」が29.5%となっている。

解答・解説⑭　答　2、5

1× 「良好な家庭的環境」における養育を推進するのは、「**地域小規模児童養護施設（グループホーム）**」や「**小規模グループケア**」を指している。「小規模住居型児童養育事業（ファミリーホーム）」や「里親」は、国や地方公共団体の責務として「家庭と同様の養育環境」を推進するとされている。

2○ 2016（平成28）年からおおむね10年程度を目標に、既存の**施設内ユニット型**施設についても、小規模かつ地域分散化を進めるための計画策定が求められている。

3× 施設での滞在期間は、乳幼児の場合は**数か月**以内、学童期以降は**1年**以内を目標としている。また、特別なケアが必要な学童期以降の子どもであっても**3年**以内を原則としている。

4× 2021（令和3）年度末に高等学校を卒業した児童養護施設児童のうち、大学へ進学した割合は、**22.6**%であった。同時期の全高卒者の大学進学率は56.1%であり、一般に比べて進学率は低い。

5○ 「児童養護施設退所者等に対する**自立支援資金**貸付事業」として、家賃や生活費、就職に必要な資格を取得するために必要となる費用を借りることができる。また、一定期間の就業継続によって、その借入金の返還が**免除**となる。

次のうち、「児童養護施設運営ハンドブック」(平成26年：厚生労働省) における「子どもの養育・支援に関する適切な記録」として (A) ～ (C) の語句が正しいものを○、誤ったものを×とした正しい組み合わせを一つ選びなさい。

・記録についての (**A**　スーパービジョン) の重要性
・客観的にとらえた記録に努める
・記録は養育を (**B**　引き継いでいく) ための重要な資料
・子どもの (**C**　問題行動) についての記述は最も重要な情報
・全職員に守秘義務があることの周知徹底

(組み合わせ)

	A	B	C
1	○	○	○
2	○	○	×
3	○	×	×
4	×	×	○
5	×	○	×

解答・解説 ⑮　　答 2

A○　適切な記録を残すことは、社会的養護の使命として、**スーパービジョン**を取り入れながら基幹的職員や心理担当職員と連携して行う。

B○　記録は子どもが入所している間だけでなく、**アフターケア**中も成長発達の変化や養育の成果を残し、次の養育者へと引き継いでいくものである。

C×　子どもの変化への気づきや成長を感じたエピソードなども重要な情報である。子どもの問題行動に対する記述にとどまることなく、**成長**を感じた内容についても記述する。

子どもの保健

子どもの保健

正答数　1回目 ／31　2回目 ／31

次のうち、出生による胎児から新生児への変化に関する記述として、不適切なものを一つ選びなさい。

1　出生により、胎児循環から肺循環へ移行し、肺によるガス交換が始まる。

2　胎児期の血液循環のための心臓の卵円孔は、通常、出生後数ヶ月以内に自然に閉鎖する。

3　出生後、血中酸素分圧が上昇する。

4　胎児期に咽頭の嚥下反応と吸啜運動が始まり、生後まもなく新生児は哺乳行動をすることができる。

5　出生後2、3日から新生児黄疸が始まり、通常生後1ヶ月ほど続く。

次の文は、健康な乳幼児の標準的な精神運動機能発達に関する記述である。不適切な記述を一つ選びなさい。

1　生後3～4か月頃、動く物を目で180度追うことができる。

2　生後1～4か月頃、話しかけるとアーウーなど、声を出して喜ぶ。

3　生後6～7か月頃、寝返りをすることができる。

4　生後7～8か月頃、小さい物を親指と人差し指でつまむことができる。

5　生後9～10か月頃、つかまり立ちができる。

人口動態統計（出生、合計特殊出生率、死亡など）は、近年の傾向と最新データが出題される。また、感染症と予防接種に関しては毎年出題されている。衛生管理（特に消毒法）や安全管理、地域等との連携についての出題は増加傾向にあり、精神保健では発達障害に関する問いが頻出。

解答・解説❶ 答 5

1○ 胎児の間は胎児循環により、ガス交換は母体の**胎盤**で行われていたが、出生により肺循環へ移行し、**肺によるガス交換**（**肺呼吸**）が開始される。

2○ **卵円孔**は、胎児期に母体から供給される酸素を多く含んだ血液を全身に循環させるための心臓にある穴であり、出生により肺循環が始まると、通常数ヶ月以内に閉鎖する。

3○ **動脈管**は胎児期に肺動脈と大動脈をつないでいたが、出生後、肺呼吸の開始により血中酸素分圧が上昇すると、動脈管は通常自然に閉鎖する。

4○ 胎児期の胎生 12 週には嚥下反応が、24 週には吸啜の動きが出現し、出生後には新生児は**哺乳反射**（吸啜反射、探索反射、口唇反射など）によって栄養を摂取することができる。

5× 新生児の血中の**ビリルビン**が増えることにより皮膚が黄色くなる黄疸が出現するが、生理的な黄疸はビリルビンが便に排出されることなどにより、通常 **7 ～ 10 日**ほどで黄疸が消える。それ以上黄疸が続くときは病的なものであり、治療を要する。

子どもの保健

解答・解説❷ 答 4

1○ **追視**（動く物を目で追う）は水平方向は生後 1 か月半頃から、垂直方向は生後 3 か月頃からできるようになり、生後 3 ～ 4 か月頃には 180 度追視できるようになる。

2○ 生後 1 ～ 4 か月頃には機嫌のいいときにはアーウー等の声（**クーイング**）を発する。その後生後 6 ～ 7 か月頃には、バババなど複数音節を伴う声（**基準喃語**）を発するようになる。

3○ 生後 6 ～ 7 か月頃には、**寝返り**や**おすわり**ができるようになる。

4× 生後 7 ～ 8 か月頃には、**親指・人差し指・中指**で物をつかめるようになる。小さい物を親指と人差し指でつまめるようになるのは生後 11 ～ 12 か月頃である。

5○ 生後 9 ～ 10 か月頃には、つかまり立ちや高這いができるようになる。

問3 **次の文は、「保育所保育指針」第3章「健康及び安全」に関する記述の一部である。（　A　）～（　D　）にあてはまる語句の正しい組み合わせを一つ選びなさい。**

保育所保育において、子どもの健康及び安全の確保は、子どもの（　A　）の保持と健やかな生活の基本であり、一人一人の子どもの健康の保持及び増進並びに安全の確保とともに、（　B　）における健康及び安全の確保に努めることが重要となる。また、子どもが、（　C　）の体や健康に関心をもち、（　D　）の機能を高めていくことが大切である。

（組み合わせ）

	A	B	C	D
1	体力	集団全体	友達	身体
2	生命	社会全体	家族	運動
3	体力	保育所全体	自ら	身体
4	生命	保育所全体	自ら	心身
5	基礎体力	集団全体	家族	心身

問4 **次の文は、「保育所における感染症対策ガイドライン（2018年改訂版）」1「感染症に関する基本的事項」(1)「感染症とその三大要因」に関する記述である。（　A　）～（　D　）にあてはまる語句の正しい組み合わせを一つ選びなさい。**

病原体が人、動物等の宿主の体内に侵入してから症状が現れるまでの期間を（　A　）といいます。また、感染症が発生するためには、病原体を排出する（　B　）、その病原体が宿主に伝播するための（　C　）、そして病原体の伝播を受けた宿主に（　D　）が存在することが必要です。

（組み合わせ）

	A	B	C	D
1	潜伏期間	感染源	感染経路	感受性
2	休眠期間	感受性	侵入経路	免疫性
3	潜伏期間	感染源	侵入経路	免疫性
4	休眠期間	感受性	感染経路	感染源
5	潜伏期間	侵入源	侵入経路	感受性

解答・解説❸　　答　4

A－生命

B－保育所全体

C－自ら

D－心身

「保育所保育において、子どもの健康及び安全の確保は、子どもの**生命**の保持と健やかな生活の基本であり、一人一人の子どもの健康の保持及び増進並びに安全の確保とともに、**保育所全体**における健康及び安全の確保に努めることが重要となる。また、子どもが、**自ら**の体や健康に関心をもち、**心身**の機能を高めていくことが大切である」

日々の保育の基本である子どもの健康と安全は、大人の責任において守らなければならないが、同時に、**子ども自ら**が**健康と安全**に関する**力を身につけ**ていくことも重要である。

解答・解説❹　　答　1

A－潜伏期間

B－感染源

C－感染経路

D－感受性

病原体が人、動物等の宿主の体内に侵入してから症状が現れるまでの期間を**潜伏期間**といいます。また、感染症が発生するためには、病原体を排出する**感染源**、その病原体が宿主に伝播するための**感染経路**、そして病原体の伝播を受けた宿主に**感受性**が存在することが必要です。

問5 **次のうち、子どもの身体の計測と評価に関する記述として、適切な記述を○、不適切な記述を×とした場合の正しい組み合わせを一つ選びなさい。**

A　1歳未満の乳児の身長は仰臥位で測定し、1歳以上になると立位で測定する。

B　母子健康手帳には乳幼児の体重、身長、頭囲の3及び97パーセンタイル曲線が載っている。

C　乳幼児の頭囲は、後頭点を通り前頭部の眉の真上を通る周径を測定する。

D　カウプ指数は乳幼児の身長と体重のバランスや栄養状態を知るために役立つ。

E　ローレル指数は主に学童期の肥満度を評価する指数である。

（組み合わせ）

	A	B	C	D	E
1	○	×	×	×	○
2	○	○	○	×	×
3	×	○	○	○	○
4	×	×	○	○	×
5	×	○	×	×	○

問6 **次のうち、原始反射に関する記述として、適切な記述を○、不適切な記述を×とした場合の正しい組み合わせを一つ選びなさい。**

A　新生児期にみられる原始反射は個人差があり、子どもによっては出現しない反射もある。

B　原始反射は中枢神経系の発達とともに消失する。

C　原始反射の消失時期が遅れる場合、運動神経等の発達の遅れがあることがある。

D　モロー反射は口の中に手を入れると吸いつく反射である。

E　バビンスキー反射の消失時期はほぼ2歳頃である。

（組み合わせ）

	A	B	C	D	E
1	○	○	×	○	×
2	○	×	×	×	○
3	×	×	○	×	○
4	×	○	○	×	○
5	×	×	○	○	×

解答・解説⑤　　答　3

A×　**2歳未満**の乳幼児の身長は、骨、筋肉の発育が未熟なため仰向けに寝かせて（仰臥位）測定し、**2歳以上**の幼児は立位で測定する。

B○　乳幼児の体重、身長、頭囲の**3及び97パーセンタイル曲線**が母子健康手帳に載っており、個々人の計測値はこれらと比較して発育を評価することが多い。

C○　乳幼児の頭囲は、後頭部の一番突出しているところ（**後頭点**）を通り、前頭部の眉の真上（**眉間点**）を通る周径を巻尺で測定する。

D○　**カウプ指数**は、乳幼児期の栄養状態を知るために便利な指数であり、体重（kg）／身長（m）^{2}で表され、15～18位が正常域である。

E○　**ローレル指数**は体重（kg）／身長（cm）^{3} × 10^7で求められ160以上が肥満とされる。

解答・解説⑥　　答　4

A×　原始反射は基本的にすべての健康な新生児に出現するものであり、出現しない場合、中枢神経系の**発達障害**等が考えられる。

B○　原始反射を司っているのは脊髄・脳幹の**反射中枢**であり、大脳の中枢神経の発達とともに消失する。

C○　原始反射はその**種類によって**消失時期があり、消失時期の遅延は中枢運動神経の発達の遅れ等の可能性がある。

D×　記述は**吸啜反射**に関するものである。モロー反射は仰臥位で子どもの頭を持ち上げて少し下げると手足を伸ばした後屈曲する反射である。

E○　**バビンスキー反射**の消失時期はほかの反射より遅く、**ほぼ2歳頃**である。

アドバイス

新生児には、健康な成人にはみられない特有の原始反射がみられる。原始反射は中枢神経が発達するにつれて抑制され、消失する。原始反射がみられなかったり、消失時期が遅れたりする場合は、精神運動発達の異常や、遅れの場合がある。

●原始反射の種類と、その消失時期●

- 探索反射（4～6か月）：口、口唇の刺激でその方を向く。
- 吸啜反射（4～6か月）：口腔内に指などを入れると吸いつく。
- モロー反射（3～4か月）：仰臥位で子どもの頭を持ち上げて少し下げると、手足を伸ばした後屈曲する。
- 把握反射（3～4か月）：手のひらを圧迫すると握りしめる。
- 緊張性頸反射（ほぼ6か月）：仰臥位で頭を片側に向けるとその側の上下肢は伸展、反対側は屈曲する。
- バビンスキー反射（ほぼ2歳）：足の裏をかかとからつま先に向けてこすると、親指が甲側に曲がりほかの指は外側に開く。

問7 **次の文は、排尿の仕組みと子どもの排尿の自立に関する記述である。（ A ）～（ E ）にあてはまる語句を【語群】から選択した場合の正しい組み合わせを一つ選びなさい。**

乳児は膀胱に尿がたまるとその刺激が脳の（ A ）に伝達され反射的に排尿するが、成長するにつれて尿が一定量まで貯められると（ B ）まで信号が送られ、それを（ C ）と感じるようになる。さらに成長すると、尿を出す準備ができると随意筋である（ D ）が弛緩して尿道を通って尿を排出できるようになる。子どもは（ E ）歳頃になると（ C ）を意識的に抑制してトイレで排尿できるようになる。

【語群】

ア	尿管	**イ**	延髄	**ウ**	大脳皮質	**エ**	腎臓	**オ**	尿意		
カ	蓄尿	**キ**	平滑筋	**ク**	括約筋	**ケ**	1～2	**コ**	3～4	**サ**	5～6

（組み合わせ）

	A	B	C	D	E
1	イ	エ	カ	ク	サ
2	イ	ウ	オ	ク	コ
3	エ	イ	カ	キ	ケ
4	エ	ウ	カ	キ	サ
5	ア	イ	オ	エ	コ

問8 **次のうち、先天異常に関する記述として、正しいものを三つ選びなさい。**

1 先天異常はすべて親の持つ遺伝子に異常があるときに生じる遺伝病である。

2 先天異常である先天奇形・変形および染色体異常は乳児の死因の第一位である。

3 フェニルケトン尿症は常染色体劣性遺伝病である。

4 ダウン症は染色体異常のなかで最も頻度が高い。

5 新生児マススクリーニング検査により、すべての先天異常を早期発見することができる。

解答・解説⑦　　答　2

Aイー延髄

Bウー大脳皮質

Cオー尿意

Dクー括約筋

Eコー3～4

乳児は膀胱に尿がたまるとその刺激が脳の**延髄**に伝達され反射的に排尿するが、成長するにつれて尿が一定量まで貯められると**大脳皮質**まで信号が送られ、それを**尿意**と感じるようになる。さらに成長すると、尿を出す準備ができると随意筋である**括約筋**が弛緩して尿道を通って尿を排出できるようになる。子どもは**3～4**歳頃になると**尿意**を意識的に抑制してトイレで排尿できるようになる。

解答・解説⑧　　答　2、3、4

1× 先天異常には親の遺伝子の異常による遺伝病のほかに、母体の感染、薬剤、喫煙、飲酒などの環境因子によるなど、**遺伝に関与しないものもある**。

2○ 先天奇形・変形および染色体異常は、長い間、乳児死因の**第一位**であり、2022（令和4）年の乳児死因では男の33.9%、女の38.0%を占めている。

3○ フェニルケトン尿症は**常染色体劣性遺伝病**であり、両親が保因者である場合、児の発症率は25～40%程度である。

4○ ダウン症は染色体異常のなかで最も頻度が高く、新生児のうち、600～800人に1人がダウン症児であるといわれる。21番目の染色体が1本多い**21トリソミー**が原因であるものがほとんどである。

5× 先天異常などによる疾患は多く、そのなかで新生児マススクリーニング検査の対象となる疾患は、早期発見し治療効果の確立しているフェニルケトン尿症やクレチン症など**約20種類**の疾患である。

子どもの保健

アドバイス

●新生児マススクリーニングについて●

先天性代謝異常等の早期発見・早期治療を目的とし、生後5～7日くらいの血液により検査。従来の対象疾患はフェニルケトン尿症、メープルシロップ尿症、ホモシスチン尿症、ガラクトース血症、先天性副腎過形成症、先天性甲状腺機能低下症（クレチン症）の6疾患であるが、より多くの疾患（約20疾患）を検査できるタンデムマス法を実施する自治体も増加している。

問 9 **次のうち、子どもの発熱と看護に関する記述として、不適切な記述を一つ選びなさい。**

1　子どもは成人より体温が高く、37.5℃以上を発熱と考える。

2　生後３か月未満の乳児の発熱は重症感染症などの疑いがあるのですぐに医療機関を受診する。

3　満１歳以上の幼児の発熱では、熱以外に発疹の有無、機嫌の善し悪し、痛みの訴えなど全身の様子をみる。

4　子どもの発熱では、まず解熱剤を用いて熱を下げることが大切である。

5　子どもの発熱では、脱水状態にならないように留意する。

問 10 **次のうち、子どもの血液とその異常に関する記述として、適切なものを○、不適切なものを×とした場合の正しい組み合わせを一つ選びなさい。**

A　出生後の造血は骨髄を中心として行われる。

B　血液の成分は、赤血球、白血球、血小板の細胞成分と血漿と呼ばれる液体成分から成り、血液全体の半分以上が細胞成分である。

C　子どもの体重に対する血液量の割合は、成人に比して少ない。

D　急性白血病には急性リンパ性白血病と急性骨髄性白血病があるが、子どもでは急性骨髄性白血病が多い。

E　血友病はほとんどが先天的に血液凝固因子の低下により出血傾向をきたす疾患であり、男性に多い。

（組み合わせ）

	A	B	C	D	E
1	○	○	○	×	×
2	○	○	×	○	×
3	○	×	○	×	○
4	×	○	×	○	○
5	×	×	○	○	○

解答・解説⑨　答　4

1○　子どもは成人より**新陳代謝**が盛んであり体温が高いため、37.5℃以上を発熱と考える。

2○　生後3か月未満の乳児期の発熱は、生理的な免疫不全状態の可能性があり、重症感染症のリスクが高いためすぐに医療機関を受診する。

3○　生後1歳以上の発熱では、熱以外の全身状況を観察し、機嫌が良く食欲がある場合は慌てずに様子をみる。

4×　発熱は、身体が本来備えている防衛反応なので、熱が出た際に基本的には解熱剤を使う**必要はない**。

5○　発熱の際に、子どもは成人より**脱水状態**に陥りやすく、目がくぼむ、おしっこが出にくいなどの症状に気をつけ、こまめに水分を補給する。

解答・解説⑩　答　3

A○　胎児期の造血は肝臓、脾臓、骨髄などで行われていたが、**出生後**の造血は**骨髄**が中心となる。

B×　**細胞成分**は血液全体のおよそ**45%**であり、55%程度が血漿成分である。

C○　子どもの体重に対する血液量の割合は約19分の1、成人は約13分の1であるため、怪我などによる少ない出血量でもショックを起こして命にかかわることがある。

D×　子どもの急性白血病では、**急性リンパ性白血病**が急性骨髄性白血病の3～4倍程度多く、成人では逆に急性骨髄性白血病が多い。

E○　血友病は、そのほとんどが血液凝固因子の活性の先天的低下によって**血液が止まりにくくなる**疾患であり、性染色体X連鎖劣性遺伝であるため男性に多く発症する。

問11 **次のうち、わが国の予防接種に関する記述として、<u>不適切な記述</u>を一つ選びなさい。**

1　予防接種は、制度上、定期接種と任意接種に分かれる。

2　定期接種は、種類により標準接種時期が定められている。

3　生ワクチンは病原体の毒性を弱めて病原性をなくしたものを原材料としている。

4　注射生ワクチンを接種した後に異なる注射生ワクチンを接種する場合は 27 日以上間隔を空ける。

5　予防接種によって得られる免疫は一生持続する。

問12 **次のうち、子どもの排便の異常や症状に関する記述として、<u>不適切な記述</u>を一つ選びなさい。**

1　乳幼児期から学童期に最も多い腹痛の原因は便秘症である。

2　急性の下痢は、ウイルス感染によるものが最も多い。

3　急性の下痢症状をきたした場合、脱水を起こさないために直ぐに止瀉薬（下痢止め）を服用する。

4　先天性胆道閉鎖症では、新生児の便の色が白っぽくなる。

5　腸重積症では、血便症状を呈する。

解答・解説⑪　答 5

1○　わが国では、予防接種は、**予防接種法**に定められている定期接種と、予防接種法に定めのない任意接種に分かれている。

2○　定期接種は、種類により、**標準接種時期**があり、その時期であれば**公費補助**により接種することができる。

3○　従来のワクチンには、原材料や製造法の違いにより、生ワクチンのほかに不活化ワクチン、トキソイドがあるが、新型コロナウイルス感染症に対応するために遺伝子から作られる新タイプのワクチンもある。

4○　2020（令和2）年10月より接種間隔が変更となり注射生ワクチン同士のみ27日以上間隔を空けることとし、不活化ワクチンなどについては制限がなくなった。

5×　予防接種によって獲得される免疫がどれくらい持続するかは予防接種の**種類によって異なる**。

解答・解説⑫　答 3

1○　正常の排便回数は新生児で2～7回/日、生後1～2年で成人と同じ1回/日～3・4回/週になるが、便秘症は、何らかの原因で排便が困難になった状態であり、学童期までの子どもの腹痛の原因として**最も多く**、ついで感染性胃腸炎が続く。

2○　急性の下痢は、**ウイルス感染**（特に冬季のロタウイルス、ノロウイルス）によるものが最も多い。

3×　急性の下痢では、脱水に陥らないように**水分補給**や**輸液**を行う。止瀉薬は病原体を腸管内に停留させる危険もあるため、容易に用いない。

4○　先天性胆道閉鎖症では新生児の黄疸が強く出る、チアノーゼなどの症状がでるほか、便の色が白っぽくなることで鑑別できるため、母子健康手帳には**便色カード**が記載されている。

5○　腸重積症は腸の一部が重なりあってしまう病であり、腹痛、嘔吐、激しい痛みによる啼泣などの急激な症状のほかに、**血便**（イチゴゼリー状の粘血便）症状を呈する。

アドバイス

●予防接種●

- 定期接種：【A類疾病】DPT-IPV-Hib（百日咳・ジフテリア・破傷風・ポリオ、Hib感染症）、MR（麻しん・風しん）、BCG（結核）、日本脳炎、ヒトパピローマウイルス、水痘、B型肝炎、ロタウイルス
  【B類疾病】季節性インフルエンザ、肺炎球菌（高齢者）、新型コロナ
- 任意接種：おたふくかぜ、インフルエンザ（65歳未満）など

問13 **次のうち、食物アレルギーに関する記述として、適切な記述を一つ選びなさい。**

1　小児期に最も多い食物アレルギーは牛乳によるものである。

2　すべての食物アレルギーは、ある特定の食物を口から摂取した直後から2時間以内に発症するアレルギー反応である。

3　食物アレルギーによってアナフィラキシー症状を起こすことがある。

4　食物アレルギーの治療の基本は原因物質の除去であり、原則的にその物質は一生にわたって摂取しない。

5　食物アレルギーは幼少期に発症するものであり、成人後に発症することはない。

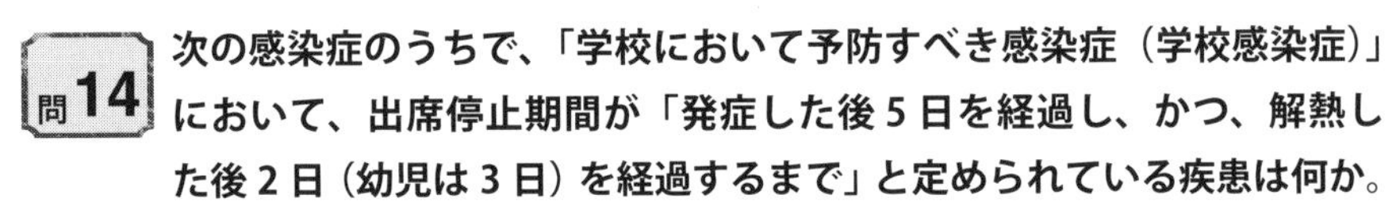

問14 **次の感染症のうちで、「学校において予防すべき感染症（学校感染症）」において、出席停止期間が「発症した後5日を経過し、かつ、解熱した後2日（幼児は3日）を経過するまで」と定められている疾患は何か。**

1　百日咳

2　流行性耳下腺炎（おたふくかぜ）

3　インフルエンザ

4　伝染性紅斑

5　髄膜炎菌性髄膜炎

解答・解説⑬　　答　3

1× わが国で**小児期に最も多い食物アレルギーは鶏卵**によるもので、次いで牛乳である。ただし、食物アレルゲンは年齢によって変化し、18 歳以上では小麦、甲殻類、果実類、魚類、木の実類の順になっている（令和 3 年度消費者庁報告書）。

2× 食物アレルギーには、アレルゲンとなる食物摂取直後から 2 時間以内に発症する即時型のほかに、食物摂取後**数時間経ってから**症状が現れるものや、ある特定の食物と運動の組み合わせで発症するものなどがある。

3○ アナフィラキシーは**重篤なアレルギー反応**であり、皮膚症状・消化器症状・呼吸器症状に引き続いて全身性のショック症状を呈するものであり、食物アレルギーでは、特定の食物摂取直後に発症することがある。

4× 食物アレルギーの治療は、原因となる食物アレルゲンの除去であるが、子どもの食物アレルギーは年齢とともに**寛解**していくことが期待でき、定期的な専門医による指導のもとに除去された食物を解除していくことが可能である。

5× 食物アレルギーは乳幼児期に発症するものが大半であるが、一方**学童期や成人になって発症する場合もあり**、後者の方が治りにくいといわれている。

解答・解説⑭　　答　3

学校感染症は、感染症法をもとに、学校保健安全法・同施行規則において、学童期の子どもたちの集団生活の場である学校で感染症が発生した場合の対策として、特に注意を要する感染症を取り上げて、対策法を示したものである。

1× 百日咳の出席停止期間は、「**特有の咳が消失するまで又は 5 日間の適正な抗菌性物質製剤による治療が終了するまで**」となっている。

2× 流行性耳下腺炎（おたふくかぜ）の出席停止期間は、「**耳下腺、顎下腺又は舌下腺の腫脹が発現した後 5 日を経過し、かつ、全身状態が良好になるまで**」となっている。

3○ インフルエンザの出席停止期間は、従前は「解熱した後 2 日を経過するまで」であったが、解熱後にウイルスが十分に減少していない状況が生じ、2012（平成 24）年に問題文のように改められた。

4× 伝染性紅斑（リンゴ病）はかぜ症状の後、両頬などに紅斑が出るが、重篤化の可能性は低く、紅斑出現時にはほとんど感染しないため、通常出席停止の措置は**必要ない**とされる。

5× 髄膜炎菌性髄膜炎は、近年学校において感染の拡大があったことを踏まえ、第二種感染症に加えられ、出席停止期間は、「**病状により学校医等において感染のおそれがないと認めるまで**」とされた。

問15 **次の文は、「2018年改訂版　保育所における感染症対策ガイドライン（2023〔令和5〕年5月一部改訂）」（こども家庭庁）による感染症の疑い時・発生時の対応に関する記述である。不適切な記述を一つ選びなさい。**

1　保育中に感染症の疑いのある子どもに気づいたときには、医務室などの別室に移動させ、子どもの症状や変化などを把握する。

2　感染症の疑いのある子どもの保護者に連絡を取るとともに、嘱託医や看護師等に相談する。

3　感染症に罹患していることが判明した場合、感染症の種類や程度に応じて市区町村や保健所等に報告する。

4　感染症発生状況に対応して、手洗いや排せつ物・嘔吐物の適切な処理とともに施設内の適切な消毒を行う。

5　インフルエンザに罹患した子どもの病状が回復し、保育所における集団生活に支障がないと保護者が判断した場合、登園を再開することができる。

問16 **次の文は、「2018年改訂版　保育所における感染症対策ガイドライン（2023〔令和5〕年5月一部改訂）」（こども家庭庁）による保育現場における衛生管理についての記述である。適切な記述を○、不適切な記述を×とした場合の正しい組み合わせを一つ選びなさい。**

A　タオル、布団等のリネン類は、通常洗濯、乾燥後陽に干す。

B　歯ブラシやタオル、コップなど乳幼児の用いる日用品は個人用とする。

C　次亜塩素酸ナトリウムは、多くの細菌やウイルスの消毒に有効である。

D　消毒用アルコールは、ノロウイルスの消毒に有効である。

E　プールの水は通常遊離残留塩素濃度が2.0mg / L以上に保てるように水質検査する。

（組み合わせ）

	A	B	C	D	E
1	○	○	○	×	×
2	○	×	○	×	○
3	×	×	○	×	○
4	×	○	×	○	×
5	×	×	×	○	○

解答・解説⑮　答 5

1○　子どもの体調の変化に早く気づき、適切に対応することは病気の重症化を防ぐとともに、集団への**二次感染を防止**するために大変重要である。

2○　子どもの症状や経過を保護者に連絡するとともに、嘱託医や看護師に相談し、必要な処置に関する指示を受けて対応する。

3○　子どもの感染症罹患が判明したら、嘱託医等に相談し、感染症法、自治体の条例等に定められた感染症の種類や程度に応じ、市区町村、保健所に速やかに報告する。

4○　感染拡大防止のため、手洗いや排せつ物・嘔吐物の適切な処理を徹底し、感染症の発生状況に対応して、消毒の頻度を増やすなど、施設内を適切に消毒する。

5×　子どもの病状が回復し、集団生活に支障がないという判断は**医師**が行い、登園には、医師の記入した意見書（治癒証明書）の提出を必要とする。

解答・解説⑯　答 1

A○　日光の**紫外線**には**殺菌効果**があるため、通常リネン類は洗濯・乾燥後に日光に当てるのが望ましい。

B○　歯ブラシ、タオル、コップなどは接触感染を起こす可能性があるので、共用を避け、**個人用**とする。

C○　**次亜塩素酸ナトリウム**は、多くの細菌やノロウイルスなどのウイルスの消毒に有効である。

D×　消毒用アルコールは、多くの細菌やウイルスの消毒に効果があるが、ノロウイルスの消毒には**有効ではない**。

E×　プールの水は法令に従い、遊離残留塩素濃度が **0.4mg / L から 1.0mg / L** に保てるように水質検査する。

アドバイス

●保育所における消毒薬の種類●

- 次亜塩素酸ナトリウム：0.02%（200ppm）～0.1%（1,000ppm）液で、衣類、歯ブラシ、遊具、哺乳瓶。手指には使えない（手で扱う場合はゴム手袋使用）。ノロウイルス、ロタウイルスなどすべての微生物に有効。
- 亜塩素酸水：遊離塩素濃度 25ppmでの拭き取りやつけ置き、嘔吐物や排泄物が付着した箇所は遊離塩素濃度 100 ppm。
- 逆性石けん：0.1%（1,000ppm）液で、手指やトイレのドアノブに使用。0.02%（200ppm）液で、食器の漬け置きに使用。普通の石けんと同時に使うと効果がない。多くの細菌、真菌に有効。結核菌や多くのウイルスには効きにくい。
- 消毒用アルコール：手指、遊具、便器、トイレのドアノブに使用。多くの細菌、ウイルスに有効。ノロウイルスやロタウイルスには効きにくい。

次の文は、DSM-5-TR（アメリカ精神医学会「精神障害の診断・統計マニュアル」）におけるADHD（注意欠如多動症）の診断基準に関する記述である。適切な記述を○、不適切な記述を×とした場合の正しい組み合わせを一つ選びなさい。

A 「不注意」と「多動・衝動性」が同程度の年齢の発達水準に比べてより頻繁に強くみられること。

B 症状のいくつかが３歳以前より認められること。

C ２つ以上の状況において障害となっていること。

D 発達に応じた対人関係や学業的・職業的な機能が障害されていること。

E その症状が、統合失調症または他の精神病性障害の経過中に起こること。

（組み合わせ）

	A	B	C	D	E
1	○	○	○	×	×
2	○	×	○	○	×
3	○	○	×	×	○
4	×	○	○	×	○
5	×	×	○	○	○

問18

次のうち、PTSD（心的外傷後ストレス障害）に関する記述として、正しいものを三つ選びなさい。

1 子どもは、成人より発症しやすい。

2 自分又は他人の生命を脅かす出来事の直後に発症する。

3 フラッシュバックを起こすことがある。

4 社会的生活に影響を与える。

5 虐待との関連は認められない。

解答・解説⑰ 答 2

A○ ADHDの症状として、「『不注意（活動に集中できない・気が散りやすい・物をなくしやすい・順序立てて活動に取り組めないなど）』と『多動・衝動性（じっとしていられない・静かに遊べない・待つことが苦手で他人のじゃまをしてしまうなど）』が同程度の年齢の発達水準に比べてより頻繁に強く認められること」が挙げられる。

B× 「症状のいくつかが**12歳以前**より認められること」。

C○ 症状が、「**2つ以上の状況**（家庭、学校、職場、その他の活動中など）で障害になっていること」。

D○ ADHDを持つ子どもは、症状に対する周囲からの叱責などで、家庭や学校などで辛い思いをしたり、学業不振や対人関係に困難を感じやすい傾向がある。

E× ADHDは、「その症状が、統合失調症または他の精神病性障害の**経過中に起こるものではなく**、他の精神疾患ではうまく説明されないこと」とある。

解答・解説⑱ 答 1、3、4

1○ 子どもは自我が未発達であり、現実の体験を客観視する能力や心理的な防衛機能が十分でないため、成人より**PTSDを発症しやすい**。

2× 命に関わるような出来事（事故、災害、犯罪、虐待など）に直面したあと、数週間から数か月の**潜伏期間を経て発症**する。

3○ 時間、場所などと無関係に、その出来事が想起されるような再体験現象を**フラッシュバック**といい、PTSDの特徴の一つとされる。

4○ 再体験現象や感情の鈍化、過覚醒、驚愕反応などによって社会生活を送るうえでの困難を生じる。

5× 被虐待体験がPTSDを引き起こす**原因となることがある**。

アドバイス

発達障害の分類法

● DSM-5-TR（アメリカ精神医学会「精神障害の診断・統計マニュアル」）●

アメリカ精神医学会が作成した精神疾患・精神障害の分類。DSM-5-TRにおいては、「障害」という表現から「症」に置きかえられている。自閉スペクトラム症 / 自閉スペクトラム障害は自閉スペクトラム症に、注意欠如・多動症 / 注意欠如・多動障害は注意欠如多動症に変わっている。

● ICD-10 ●

世界保健機関（WHO）による国際疾病分類。わが国の発達障害者支援法の発達障害の定義はICD-10をもとにしている。なお、2018（平成30）年6月に、WHOは28年ぶりの改訂となるICD-11を公表した。

問19 次の【事例】を読んで、【設問】に答えなさい。

【事例】

保育所に入所している2歳半の男児。「パパ」「ママ」「ちょうだい」などの言葉は発するが、「パパ、バイバイ」「ママ、ちょうだい」などの言葉は言わない。

【設問】

言葉の遅れを心配した母親からの相談に対し、担当保育士の対応として適切なものの組み合わせを一つ選びなさい。

A 「個人差があるから大丈夫ですよ」と保護者の心配を軽減させる。

B 「自閉症ってご存じですか」と発達障害の可能性を示唆する。

C 嘱託医、施設長の指導、助言を求める。

D 保育所での様子を伝えるとともに、小児科医への受診を勧める。

E ほかの保護者へも状況を伝え、協力を求める。

（組み合わせ）

1 A B
2 A C
3 B D
4 C D
5 D E

問20 次の【事例】を読んで、【設問】に答えなさい。

【事例】

6歳男児。半年ほど前から、目をぱちぱちしたり、顔をしかめたり、首や肩をしきりに動かすことが目立ってきた。遊んでいるときや睡眠中には認められない。注意されるとしばらくは収まる。

【設問】

この子どもへの保育士の対応として適切な記述を一つ選びなさい。

1 頻繁に注意して、やめさせる。

2 症状が出ているときに指摘し、自覚させる。

3 症状に関して、カウンセリングを受けるよう子どもに言う。

4 しばらく様子をみながら、普段と変わらずに接する。

5 保護者に、専門医を受診して脳波異常等の検査をするよう勧める。

解答・解説⑲　　答　4

A×　2歳を過ぎて二語文を話さないのは言葉の遅れの可能性が考えられる。保護者を安心させるためとはいえ、安易に「大丈夫」と伝えることは**適切でない**。

B×　言葉の遅れの可能性があるものの、専門的な診断なしに特定の障害の可能性を伝えるのは保育士として**適切でない**。

C○　嘱託医、施設長に伝え、**相談内容を共有**し、**助言を求める**ことは適切である。

D○　聴力や発達の検査を通して診断できるのは**専門医**なので、小児科医への受診を勧めるのは適切である。

E×　保育士には保護者からの相談内容に対して**守秘義務**があり、また現時点で他の保護者に伝える必要が認められないため、適切でない。

解答・解説⑳　　答　4

この子どもの症状はチック（運動チック）であり、その対応として適切なものを選択する。

1×　チックは注意されると余計に気にして、治らない場合がある。**無理にやめさせようとする**のは良策とはいえない。

2×　1と同様に、症状を指摘するのは**逆効果**である。

3×　カウンセリングを受けることも、同様に症状を意識させるので**効果的ではない**。

4○　チックは**自然に治る**ことが多いので、しばらくは普段と変わらず接し、様子をみる。

5×　チックは、長期化した場合は専門医で内服薬を投与されるが、脳波異常などの神経学的な異常はなく、**検査の必要はない**。

アドバイス

発達障害は、広義には精神発達遅滞、運動発達遅滞等を含む生まれつきの脳神経の障害を意味している。

●発達障害者支援法（平成17年施行）における発達障害の種類と特徴●

○広汎性発達障害

- ●自閉症：言葉の発達の遅れ、コミュニケーションの障害、対人関係・社会性の障害、パターン化した行動、特定の物へのこだわり
- ●アスペルガー症候群：言葉の発達の遅れはない、コミュニケーションの障害、対人関係・社会性の障害、パターン化した行動、興味の偏り

○注意欠陥多動性障害（ADHD）：不注意、多動・多弁、衝動的な行動

○学習障害（LD）：「読む」「書く」「計算する」等のうちの特定の能力が、全体的な知的発達に比べ極端に苦手

問21 **次のうち、子どもの咳症状を示す疾患に関する記述として、適切な記述を○、不適切な記述を×とした場合の正しい組み合わせを一つ選びなさい。**

A　発熱を伴う咳症状は、感染症であることが多い。

B　気管支喘息は、咳発作を特徴とするアレルギー性の慢性疾患である。

C　百日咳は、ケンケンと長引く咳と高熱を特徴とする。

D　クループ症候群（急性声門下咽頭炎）は、3歳以下の乳幼児に起こることはまれである。

E　結核は、咳、痰、微熱などが続く感染症である。

（組み合わせ）

	A	B	C	D	E
1	○	○	○	×	×
2	○	○	×	×	○
3	○	×	○	×	○
4	×	○	×	○	×
5	×	×	○	○	○

問22 **次のうち、子どもに多いけがや症状に対する応急処置に関する記述として、適切なものを○、不適切なものを×とした場合の正しい組み合わせを一つ選びなさい。**

A　鼻血が出たら、出血が収まるまで子どもを仰向けに寝かせる。

B　子どもが庭で転んで擦り傷を負った場合、洗わずに傷口に消毒薬を塗り、ガーゼ等で傷口をおおい、出血が収まったら傷口を乾かすようにする。

C　転んで足首を捻って痛みを訴えている場合、患部を無理に動かさずに冷却する。

D　やけどにより水ぶくれができた場合、水ぶくれ箇所をつぶしてから冷却する。

E　蚊に刺されて痒みがある場合、濡れタオルや冷水を当てて虫刺され用の薬剤を塗布する。

（組み合わせ）

	A	B	C	D	E
1	○	○	○	×	×
2	○	○	×	×	○
3	×	○	○	○	×
4	×	×	○	×	○
5	×	×	×	○	○

解答・解説㉑　答　2

A○　咳症状を示す疾患には発熱を伴うものと伴わないものがあるが、**発熱**を伴う場合はウイルスや細菌による**感染症**であることが多い。

B○　気管支喘息は、特定のアレルギー原因物質などを吸い込んだ刺激により、気道の過剰な反応である激しい咳と呼吸苦などの症状が起こる慢性疾患である。

C×　百日咳は、百日咳菌を原因菌とする感染症であり、**けいれん性の咳発作**を特徴とするが、発熱はみられないことが多く、熱が出ても通常は高熱にはならない。

D×　クループ症候群（急性声門下咽頭炎）は、3 歳以下の**乳幼児**に多くみられる感染症であり、軽い咳や鼻水、発熱のような症状から始まり、その後、犬の鳴き声のようなケンケンという特徴的な咳がみられる。

E○　結核は結核菌によって**空気感染**する感染症であり、長引く咳、痰などの呼吸器症状のほかに、重症化すると、食欲低下、不機嫌、倦怠感などの全身症状をもたらす。

解答・解説㉒　答　4

A×　鼻血を飲まないように**下を向かせ**、鼻の中に何も入れず小鼻の上（キーゼルバッハ部位）を 5 分以上、できれば 15 分くらい圧迫止血する。

B×　擦り傷は、まず流水で傷口の汚れを洗い流す。傷口からしみ出る**浸出液**には傷を治す働きがあるので、傷をなるべく乾かさないようにする。

C○　足首に痛みがある場合は、捻挫か骨折の可能性があるため、なるべく患部を動かさず、患部を**冷やして**炎症や痛みをとる。

D×　やけどは、水道水や冷やしタオルなどを用いて速やかに**冷却**する。30 分以上冷却することが望ましい。水ぶくれができている場合、感染の原因になるのでつぶさない。

E○　蚊に刺された患部を掻き壊さないように、患部を冷やし、痒み止めの薬剤を塗って痒みを鎮める。患部を掻き壊すと、皮膚が傷つき細菌が侵入して化膿するなどの炎症を起こすことがある。

問23 **次のうち、乳幼児の脱水状態とその予防に関する記述として、適切な記述を○、不適切な記述を×とした場合の正しい組み合わせを一つ選びなさい。**

A 乳幼児は成人に比べて脱水状態に陥りやすい。

B 乳幼児の脱水状態は、気温の高いときにのみ発生する。

C 脱水状態になると、体内の水分だけでなく電解質なども失われる。

D 夏期のプールや水遊びでは脱水の心配はない。

E 水分補給は乳幼児がのどの渇きを訴えたときに適宜行う。

（組み合わせ）

	A	B	C	D	E
1	○	○	○	×	×
2	○	×	○	×	×
3	○	×	×	○	○
4	×	○	×	×	○
5	×	×	×	○	○

問24 **次のうち、ノロウイルス食中毒に関する記述として、適切な記述を○、不適切な記述を×とした場合の正しい組み合わせを一つ選びなさい。**

A ノロウイルスは細菌性食中毒の代表的な原因菌である。

B ノロウイルスによる食中毒は冬季に多発する。

C 集団発生することがある。

D アルコール消毒が有効である。

E 治療には抗ウイルス薬を用いる。

（組み合わせ）

	A	B	C	D	E
1	○	○	×	○	×
2	○	×	○	×	○
3	×	○	○	×	×
4	×	×	○	○	×
5	×	○	×	○	○

解答・解説㉓　答　2

A○　乳幼児は成人に比べ、体内の水分含有量が多く、また細胞内液より細胞外液が多いため、水分を失いやすく、脱水状態に陥りやすい。

B×　脱水状態は、高温時の熱中症によるもののほかに、風邪に伴う**発熱**や**下痢・嘔吐**に伴う体内水分の喪失などによって発生する。

C○　脱水状態では、体内の水分だけでなく、**ナトリウム**などの電解質も失われるため、注意を要する。

D×　夏期のプールや水遊びは炎天下で行われることが多く、子どもが水分を口にするわけではないので、他の活動と同様に適宜**水分を補給する必要**がある。

E×　乳幼児は、のどの渇きを自覚できなかったり、訴えられないことも多いため、大人の管理や指導のもとで、こまめに**計画的な水分補給**を心がける必要がある。

解答・解説㉔　答　3

A×　ノロウイルスは**ウイルス性食中毒**の代表的な原因物質である。

B○　ノロウイルスは低温での生存期間が長く、乾燥状況で飛散しやすいため、**冬季**に多発する。

C○　ノロウイルスは二枚貝などの汚染食品の摂取による経口感染だけでなく、感染者の嘔吐物などから**接触・飛沫感染**するため、集団感染することがある。

D×　ノロウイルスはエンベロープという脂肪膜のないウイルスであるため、アルコール消毒や逆性石けんは効果が薄く、**次亜塩素酸ナトリウム**が有効である。

E×　ノロウイルスに有効な抗ウイルス薬や予防ワクチンは存在しないため、治療は脱水防止の輸液の投与など**対症療法**となる。

アドバイス

食中毒は原因物質によって、5つに大別される。

●食中毒の分類と原因物質●

- 細菌性食中毒（夏季、高温多湿時に多発）：カンピロバクター、腸管出血性大腸菌（O157など）、腸炎ビブリオ、サルモネラ属菌、ウエルシュ菌、ブドウ球菌
- ウイルス性食中毒（冬季、乾燥時に多発）：ノロウイルス
- 化学性食中毒：ヒスタミン、農薬等の毒物
- 自然毒による食中毒：フグ、キノコ、じゃがいも、カビ類
- 寄生虫による食中毒：アニサキス、クリプトスポリジウムなど

問25 **次のうち、1型糖尿病に関する記述として、最も適切な記述を一つ選びなさい。**

1 糖尿病には1型と2型があるが、子ども、特に乳幼児では成人に比べて1型が多い。

2 糖尿病では、血液中のブドウ糖の濃度が低下する。

3 1型糖尿病は、生活習慣によって発症することが多い。

4 1型糖尿病は、適切な治療によって完治することができる。

5 糖尿病の子どもは、基本的に運動は控えなければならない。

問26 **次のうち、免疫の仕組みや特徴と免疫に関わる疾患に関する記述として、適切なものを○、不適切なものを×とした場合の正しい組み合わせを一つ選びなさい。**

A 免疫には、自然免疫と獲得免疫の2種類があり、そのうち自然免疫は、身体の中に入ってくる病原体などの異物（抗原）に対して最初に反応して異物を特定せずに攻撃する免疫である。

B 獲得免疫は、二度めに体内に侵入した異物（抗原）を記憶し特定して攻撃する免疫である。

C 特定の異物（抗原）に対して特異的に結合する抗体を免疫グロブリンといい、異物を排除するように働く。

D 新生児は母親由来の免疫グロブリンのIgAを有している。

E アレルギー性疾患は、免疫が働かない免疫不全症の総称である。

（組み合わせ）

	A	B	C	D	E
1	○	○	○	×	×
2	○	○	×	×	○
3	○	×	×	○	○
4	×	○	○	○	×
5	×	×	○	○	○

解答・解説㉕　答　1

1○　子どもに多い1型糖尿病は、膵臓のβ細胞の破壊により、インスリンの分泌が低下することにより発症する。近年では、生活習慣の関係する2型糖尿病が10代以上に増えている。

2×　糖尿病では、インスリン不足により血液中のブドウ糖濃度である血糖値が上昇し、**高血糖**になる。

3×　子どもに多い1型糖尿病は生活習慣とは関係せず、**自己免疫性**あるいは**突発性**である。

4×　1型糖尿病は、現在の医学では完治することはできないが、適切な治療によって**健常者と同じ生活**ができる。

5×　糖尿病の治療の基本は、**インスリン注射**、**食事療法**（規則正しい食生活、年齢相応のエネルギー量など）、**適度の運動**であり、血糖値を適切に管理することにより、ほかの子どもと同じ生活をすることができる。

解答・解説㉖　答　1

A○　自然免疫は生まれつき備わっている防御システムであり、**白血球**の一種である食細胞が中心となって、侵入物を特定することなく素早く反応し排除する。

B○　獲得免疫には骨髄などで作られる細胞性免疫（T細胞など）と液性免疫（B細胞）がある。

C○　獲得免疫のうち液性免疫はB細胞が担い、5種類の免疫グロブリンというたんぱく質（IgG、IgA、IgM、IgD、IgE）を産出する。

D×　新生児が有しているのは、胎盤通過性のある母親由来の**免疫グロブリンIgG**であり、**生後6ヶ月くらい**まで乳児を感染から防御する。

E×　アレルギー性疾患は、**免疫反応が過剰に起こり**、身体にとって不利に働く場合に発症する疾患である。

次の文は、「保育所保育指針解説」における保育所での与薬に関する記述である。適切な記述を○、不適切な記述を×とした場合の正しい組み合わせを一つ選びなさい。

A 保育所に通う子どもに薬を与える場合は、医師の診断及び指示による薬に限定する。

B 保育士が保護者から預かった薬は、施錠のできる場所に保管するなど、管理を徹底する。

C 保護者から預かった薬は、担当保育士が管理し、守秘義務の観点からほかの保育士、職員には知らせない。

D 子どもに薬を与えるにあたっては、複数の保育士等で、対象児を確認し、誤りのないように留意する。

E 市販の解熱剤、酔い止め薬などは、保育所に常備し、子どもにアレルギー等がないか確認のうえで必要に応じて与える。

（組み合わせ）

	A	B	C	D	E
1	○	○	○	×	×
2	○	○	×	○	×
3	○	×	○	○	×
4	×	○	×	○	○
5	×	×	○	×	○

問28 **次のうち、保育所と、家庭や専門機関や地域との連携に関する記述として、不適切な記述を一つ選びなさい。**

1 保育所は、家庭からの情報を入所時のみでなく、登園時や連絡帳等を利用して日頃から得るようにする。

2 保育所からは家庭に、季節に応じた献立、感染症の発生状況、その予防対策等の情報を適宜伝えるようにする。

3 保育所は医療機関との連携が大切であり、保育所職員は、医療機関にある園児のカルテ（診療録）を適宜閲覧できる。

4 保育所は、保護者の了解を得た後、健診等の母子保健サービス内容が記載されている母子健康手帳を利用するとよい。

5 保育所は、災害などの発生に備え、日頃から保護者、近隣の住民、自治体、保健所、医療機関、警察、消防等との密接な協力や支援に関わる連携体制を整備しておくようにする。

解答・解説㉗　答　2

A○　保護者に医師名、薬の種類、服用方法等を具体的に記載した**与薬依頼票**を持参してもらう。

B○　保護者から預かった薬は、他の子どもが誤って服用することのないように**施錠のできる場所**に保管するなどの注意が必要である。

C×　子どもの健康状態や与薬については担当保育士以外の保育士や職員も**情報を共有**している必要がある。

D○　与薬の際は、複数の保育士等で、対象児を確認し、重複与薬や与薬量の確認、与薬忘れ等の誤りがないよう気をつけ、与薬後には子どもの観察を十分に行う。

E×　保育所では、原則的に保育所の判断や保護者の個人的判断による与薬はすることができない。

解答・解説㉘　答　3

1○　**登園時**や**連絡帳**等を通じて、園児の健康状態を把握する。

2○　子どもの健康教育や感染症等について、**保育園便り等**で保護者に伝えるようにする。

3×　保育所と医療機関との連携は必要であるが、個人情報保護等の観点から、保育所職員が医療機関にある園児のカルテなどを**閲覧することはできない**。

4○　**母子健康手帳**は園児の健康状態などを把握するために有効であるので、保護者の同意を得て活用する。

5○　子どもを災害などから守るために、保育所と保護者や地域との連携が重要であり、日頃から災害の発生などに備えて準備しておく。

問29 **次のうち、法令で定められている健康診断、健康診査に関する記述として適切な記述を○、不適切な記述を×とした場合の正しい組み合わせを一つ選びなさい。**

A　1歳6か月健康診査は、母子保健法に基づき、市町村が実施義務を負っている。

B　1歳6か月健康診査の対象は、満1歳6か月を超え、満2歳に達しない幼児を対象としている。

C　3歳児健康診査は、満3歳を超え、満3歳6か月を超えない幼児を対象としている。

D　乳幼児健康診査の目的は、疾病の早期発見であり、生活指導は行っていない。

E　保育所における定期健康診断は、学校保健安全法に準じて実施されている。

（組み合わせ）

	A	B	C	D	E
1	○	○	○	×	×
2	○	○	×	×	○
3	○	×	○	○	×
4	×	×	○	○	○
5	×	○	×	○	○

問30 **次のうち、発達性ディスレクシアに関する記述として、適切な記述を○、不適切な記述を×とした場合の正しい組み合わせを一つ選びなさい。**

A　限局性学習症の一つとされる。

B　学童期初期に明らかになることが多い。

C　後天的な脳の損傷などによって発現する。

D　知的障害を併発する。

E　通常、文字を読むことに困難を示すが、書くことには困難を示さない。

（組み合わせ）

	A	B	C	D	E
1	○	○	×	×	×
2	○	×	○	×	○
3	○	○	×	○	×
4	×	×	○	○	×
5	×	○	×	×	○

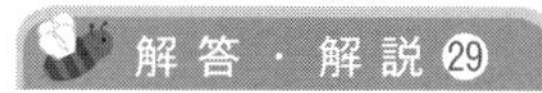

解答・解説㉙　答　2

A○　**母子保健法**に基づき、市町村は妊産婦、乳児、1歳6か月児、3歳児に対して健康診査を行っている。妊産婦、乳児に対する健診は勧奨であり、1歳6か月児と3歳児対象の健診は必須である。

B○　同法第12条第1号に規定されている。

C×　同法第12条第2号において、**満3歳を超え**、**満4歳に達しない幼児**を対象とすることが規定されている。

D×　「乳幼児に対する健康診査の実施について」（厚生労働省）において、1歳6か月健診、3歳児健診の目的として、疾病の発見だけでなく、栄養指導やう歯予防等の**生活指導**があげられている。

E○　「児童福祉施設の設備及び運営に関する基準」第12条において、定期健康診断を、**学校保健安全法**に準じて行うことが規定されている。

子どもの保健

解答・解説㉚　答　1

A○　アメリカ精神医学会「精神障害の診断・統計マニュアル」（DSM–5-TR）では、**限局性学習症**（いわゆる学習障害）の中で読字に限定した症状を示すタイプを示している。

B○　発達性ディスレクシアは神経生物学的原因に起因する**読み書きに困難を示す障害**とされ、読み、書きなどを学習する年齢になって気づかれることが多い。

C×　発達性ディスレクシアは、後天的な脳の損傷によって起こる読み書きに関する障害とは区別され、**先天的**な神経生物学的原因に起因する特異的学習障害である。

D×　発達性ディスレクシアは、知的な遅れや視聴覚障害がなく十分な教育歴と本人の努力がみられるにもかかわらず、知的能力から期待される**読字能力**を獲得することに困難がある状態である。

E×　通常、読み能力だけでなく**書字能力**も劣っていることが多い。

問31 **次のうち、児童虐待の疑いと関連があるとされる症状・疾患として適切なものを○、不適切なものを×とした場合の正しい組み合わせを一つ選びなさい。**

A　乳幼児揺さぶられ症候群
B　SIDS（乳幼児突然死症候群）
C　子どもの多数のう歯（虫歯）
D　代理ミュンヒハウゼン症候群
E　ASD（自閉スペクトラム症）

（組み合わせ）

	A	B	C	D	E
1	○	○	○	×	×
2	○	○	×	×	○
3	○	×	○	○	×
4	×	○	×	○	○
5	×	×	○	○	○

解答・解説 31　　答 3

A○　乳幼児が、頭頸部を激しく揺さぶられることにより、頭蓋内出血等を呈する症候群であり、被虐待児における頭部外傷の疑いがある。

B×　SIDSは「それまでの健康状態および既往歴からその死亡が予想できず、しかも死亡状況調査および解剖調査によってもその原因が同定されない」ものと定義され、**虐待との関連はない**。

C○　子どもの多数のう歯（虫歯）は、保護者による虐待の一種である**ネグレクト**の可能性がある。

D○　代理ミュンヒハウゼン症候群は、保護者が自分に周囲の関心を引くために、子どもの病気やけがを捏造するものであり、児童虐待としての一面がある。

E×　ASDは、対人関係が苦手、強いこだわりなどの特徴を持つ**発達障害**であり、その原因は生まれつきの**脳の機能障害**であると考えられ、親の育て方や虐待との関連はない。

子どもの食と栄養

子どもの食と栄養

正答数　1回目 ／31　2回目 ／31

問1 **次のうち、栄養素に関する記述として、不適切なものの組み合わせを一つ選びなさい。**

A　脂質はエネルギー源として利用されるほか、細胞膜の主要な構成成分でもある。

B　たんぱく質は、炭素（C）、酸素（O）、水素（H）で構成されている。

C　炭水化物の中で食物繊維は消化されやすく、重要なエネルギー源となっている。

D　ビタミンDは、骨の形成に関与する。

E　ビタミンCは、鉄の吸収を促進する。

（組み合わせ）

1　A　B

2　A　E

3　B　C

4　C　D

5　D　E

問2 **次の【Ⅰ群】の年中行事と、【Ⅱ群】の行事食を結びつけた場合の正しい組み合わせを一つ選びなさい。**

【Ⅰ群】

A　鏡開き　**B**　重陽の節句　**C**　端午の節句

D　冬至　**E**　桃の節句

【Ⅱ群】

ア　はまぐりの吸い物、菱餅　**イ**　菊酒、栗ご飯

ウ　かぼちゃ、小豆がゆ　**エ**　柏餅、ちまき　**オ**　おしるこ

（組み合わせ）

	A	**B**	**C**	**D**	**E**
1	ア	イ	エ	ウ	オ
2	ア	ウ	エ	イ	オ
3	エ	ウ	オ	イ	ア
4	オ	ウ	エ	イ	ア
5	オ	イ	エ	ウ	ア

「妊産婦、乳幼児から思春期の食生活」「五大栄養素」「乳汁栄養」「授乳・離乳の支援ガイド」「平成27年度乳幼児栄養調査」「子どもの疾病」「各種ガイドライン」「食育」については、毎回出題されている。重点的に学習して、高得点につなげよう。最近は日本の食に関する問いもあり、知識の幅を広げておこう。

解答・解説❶　　答　3

A○　適切な記述である。脂質は、特にエネルギー源として優れており、1gで約9 kcalのエネルギーを供給する。

B×　記述は、炭水化物と脂質のことである。たんぱく質は、**窒素**を含むことが特徴であり、**炭素（C）**、**酸素（O）**、**水素（H）**、**窒素（N）**の4種類で構成されている。

C×　消化されやすくエネルギー源となるのは、**糖質**である。食物繊維は、多糖類に分類されているが、人の消化酵素では分解されない食品中の難消化成分で、エネルギーにならない。

D○　ビタミンDは、腸管からのカルシウムやリンの吸収を促進し、骨の形成に関わる働きをする。

E○　鉄を含む食品と一緒にビタミンCを多く含む果物や緑黄色野菜を摂取すると、鉄の吸収が高まる。良質なたんぱく質にも、鉄の吸収が高まる働きがある。

解答・解説❷　　答　5

Aオ　**鏡開き**には、お正月にお供えしていた鏡餅を1月11日におろして、その餅をおしるこなどに入れて食べる。

Bイ　**重陽の節句**は菊の節句ともいわれ、9月9日に栗ご飯を食べ、菊の花びらを浮かべた菊酒を飲む。

Cエ　**端午の節句**は男の子の節句で、5月5日に柏餅、ちまきなどを食べる。

Dウ　**冬至**は、1年で最も夜が長い日で、かぼちゃを食べると風邪をひかないといわれている。行事食は、かぼちゃ、小豆がゆである。

Eア　**桃の節句**は女の子の節句で、3月3日にちらし寿司、はまぐりの吸い物、菱餅、ひなあられを食べる。

問3 **次のうち、「食生活指針」（平成28年：文部科学省、厚生労働省、農林水産省）の「食生活指針の実践」の一部として、不適切な記述を一つ選びなさい。**

1 毎日の食事で、健康寿命をのばしましょう。

2 飲酒はほどほどにしましょう。

3 手作りと外食や加工食品・調理食品を上手に組み合わせましょう。

4 脂肪の摂取を控えましょう。

5 まだ食べられるのに廃棄されている食品ロスを減らしましょう。

問4 **次の文は、糖質に関する記述である。（　A　）～（　D　）にあてはまる語句の正しい組み合わせを一つ選びなさい。**

・（　**A**　）は、糖類の構成成分として重要な単糖類であり、血液中にも存在する。

・単糖類には、ほかに（　**B**　）とガラクトースがある。

・（　**C**　）は、（　**A**　）と（　**B**　）が結合したもので、一般に砂糖と呼ばれている。

・グリコーゲンは、肝臓や筋肉に含まれる（　**D**　）である。

（組み合わせ）

	A	B	C	D
1	ブドウ糖	果糖	ショ糖	でんぷん
2	ブドウ糖	果糖	乳糖	でんぷん
3	ブドウ糖	果糖	ショ糖	多糖類
4	果糖	ブドウ糖	乳糖	少糖類
5	果糖	ブドウ糖	ショ糖	多糖類

解答・解説❸ 答 4

1○ 記述は、「食生活指針」のうち「**食事を楽しみましょう**」の「食生活指針の実践」として示されている。同実践にはほかに「おいしい食事を、味わいながらゆっくりよく噛んで食べましょう」「家族の団らんや人との交流を大切に、また、食事づくりに参加しましょう」があげられている。

2○ 記述は、同指針のうち「**1日の食事のリズムから、健やかな生活リズムを**」の「食生活指針の実践」として示されている。同実践にはほかに「朝食で、いきいきした1日を始めましょう」「夜食や間食はとりすぎないようにしましょう」があげられている。

3○ 記述は、同指針のうち「**主食、主菜、副菜を基本に、食事のバランスを**」の「食生活指針の実践」として示されている。同実践にはほかに「多様な食品を組み合わせましょう」「調理方法が偏らないようにしましょう」があげられている。

4× 記述は、同指針には示されていない。

5○ 記述は、同指針のうち「**食料資源を大切に、無駄や廃棄の少ない食生活を**」の「食生活指針の実践」として示されている。同実践にはほかに「調理や保存を上手にして、食べ残しのない適量を心がけましょう」「賞味期限や消費期限を考えて利用しましょう」があげられている。

解答・解説❹ 答 3

A－ブドウ糖

B－果糖

C－ショ糖

D－多糖類

糖質には様々な種類があり、単糖類、二糖類、多糖類に大別される。

・単糖類：**ブドウ糖**（**グルコース**）、**果糖**（**フルクトース**）、ガラクトースなど

・二糖類：**ショ糖**（**スクロース：ブドウ糖と果糖が1分子ずつ**）、麦芽糖（マルトース：ブドウ糖が2分子）、乳糖（ラクトース：ブドウ糖とガラクトースが1分子ずつ）

・**多糖類**（多数の単糖類が結合）：でんぷん、**グリコーゲン**、食物繊維

問5 次のうち、脂質に関する記述として、正しいものを三つ選びなさい。

1　脂質は、糖質あるいはたんぱく質よりも 1g 当たり 2 倍以上のエネルギーを供給する。
2　食品に含まれる脂質の大部分は中性脂肪である。
3　脂肪酸を構成する炭素鎖に二重結合をもつものを、飽和脂肪酸という。
4　不飽和脂肪酸は、バター、牛脂、豚脂などの動物性食品の油脂に多く含まれる。
5　コレステロールは、肝臓で合成されている。

問6 次のうち、たんぱく質に関する記述として、適切な記述を○、不適切な記述を×とした場合の正しい組み合わせを一つ選びなさい。

A　たんぱく質は、アミノ酸が結合した化合物である。
B　たんぱく質は、血液、酵素、ホルモン、免疫体などの成分である。
C　体内で合成することができず、食物から摂らなければならないアミノ酸を、非必須アミノ酸という。
D　たんぱく質は、エネルギー源として利用されない。
E　「6 つの基礎食品群」において、たんぱく質を多く含む食品は第 2 群に分類されている。

（組み合わせ）

	A	B	C	D	E
1	○	○	○	○	×
2	×	○	×	×	○
3	○	○	×	×	×
4	×	×	○	○	○
5	○	○	×	×	○

解答・解説⑤　　答　1、2、5

1○　**脂質**は 1g 当たり **9kcal**、**糖質とたんぱく質**は **4kcal** のエネルギーを供給する。よって、脂質は他の 2 つの栄養素の 2 倍以上のエネルギーを供給する。

2○　中性脂肪は、食品だけでなく身体の中にも貯蔵されている。また、一般に脂肪と呼ばれるものは、中性脂肪のことである。

3×　炭素鎖に二重結合をもつ脂肪酸は、**不飽和脂肪酸**である。飽和脂肪酸は、二重結合をもたない。

4×　説明の記述は、**飽和脂肪酸**のことである。不飽和脂肪酸は、植物油や魚油に多く含まれる。

5○　**コレステロール**は、食物から摂るよりも肝臓で合成される方が多い。

解答・解説⑥　　答　3

A○　たんぱく質は、**約 20 種類**のアミノ酸が結合した化合物である。

B○　たんぱく質は、設問の記述のほかに、筋肉組織、内臓、脳、皮膚、毛髪、爪などの構成成分である。

C×　非必須アミノ酸ではなく、**必須アミノ酸**が正しい。

D×　エネルギー源としても利用されており、1g 当たりのエネルギー発生量は約 **4kcal** である。ただし、炭水化物や脂質の摂取が十分なときは、エネルギー源としてのたんぱく質の消費は抑えられる。

E×　たんぱく質は、**第 1 群**に分類されている。なお、第 2 群はカルシウムを多く含む食品が分類されている。

アドバイス

●6 つの基礎食品

- 第 1 群　魚・肉・卵・大豆・大豆製品
- 第 2 群　牛乳・乳製品・小魚・海藻
- 第 3 群　緑黄色野菜
- 第 4 群　その他の野菜・果物
- 第 5 群　穀類・いも類・砂糖
- 第 6 群　油脂

問 7 **次のうち、ビタミンに関する記述として、不適切な記述を一つ選びなさい。**

1　ビタミンAは脂溶性ビタミンである。緑黄色野菜では、色素のカロテンが、体内でこのビタミンに変化する。

2　ビタミンB_1は水溶性ビタミンである。糖質のエネルギー代謝に関与し、代表的な欠乏症は脚気である。

3　ビタミンB_2は水溶性ビタミンである。エネルギー代謝に関与し、代表的な欠乏症は、口唇炎、舌炎、口角炎である。

4　ビタミンCは水溶性ビタミンである。体内ではコラーゲンの生成と維持に関与する。

5　ビタミンKは脂溶性ビタミンである。細胞膜の酸化防止作用を持つ。

問 8 **次の【Ⅰ群】の物質と、【Ⅱ群】の内容を結びつけた場合の正しい組み合わせを一つ選びなさい。**

【Ⅰ群】

A　リン　**B**　カルシウム　**C**　カリウム　**D**　ヨウ素　**E**　ナトリウム

【Ⅱ群】

ア　体液の浸透圧やpHの調節に関与する成分であり、欠乏よりも過剰摂取に注意が必要である。

イ　骨や歯の主成分であり、欠乏症にはくる病や骨粗鬆症がある。

ウ　カルシウムやマグネシウムとともに骨や歯をつくる成分であり、エネルギー代謝にも関与する。

エ　体液の浸透圧を決定する重要な因子である。

オ　甲状腺ホルモンの構成成分であり、成長促進、代謝の維持にも関与する。

（組み合わせ）

	A	B	C	D	E
1	ア	イ	オ	エ	ウ
2	イ	エ	ア	ウ	オ
3	ウ	イ	エ	オ	ア
4	エ	オ	ア	イ	ウ
5	オ	イ	エ	ア	ウ

解答・解説⑦　　答 5

1○　ビタミンAを多く含む食品として、うなぎ、レバー、牛乳・乳製品、卵黄、緑黄色野菜などがある。代表的な欠乏症は**夜盲症**である。

2○　ビタミンB_1を多く含む食品として、豚肉、うなぎ、魚卵、胚芽、豆類などがある。

3○　ビタミンB_2を多く含む食品として、レバー、うなぎ、牛乳、魚類、緑黄色野菜などがある。

4○　ビタミンCを多く含む食品として、緑黄色野菜と果実がある。代表的な欠乏症は**壊血病**である。

5×　記述は、ビタミンEのことである。ビタミンKは脂溶性ビタミンで、**血液凝固因子**の合成や骨の形成に必要である。

ビタミンは、脂溶性ビタミンと水溶性ビタミンに分けられる。**脂溶性ビタミン**には、ビタミンA、D、E、Kがあり、油に溶けやすい。**水溶性ビタミン**には、ビタミンB群、ビタミンC、葉酸、ナイアシンなどがあり、水に溶けやすい。

解答・解説⑧　　答 3

Aウ　**リン**は、過剰摂取すると腸管におけるカルシウムの吸収を抑制する。

Bイ　**カルシウム**には、血液の凝固作用や筋肉の収縮作用などの働きもある。

Cエ　**カリウム**は、野菜、果物類などに多く含まれている。

Dオ　**ヨウ素**は、海藻類、魚介類などに多く含まれている。

Eア　**ナトリウム**は食塩として摂取されている。過剰摂取は**生活習慣病**を招くおそれがあり注意が必要である。

アドバイス

●ミネラル（無機質）の主な種類とその特徴●

- カルシウム：骨と歯の成分で、血液の凝固作用、筋肉の収縮作用がある。ビタミンDを一緒に摂ると吸収率がよい。欠乏症は、くる病や骨軟化症。
- リン、マグネシウム：骨と歯の成分。
- カリウム：体液の浸透圧の維持や筋肉の収縮作用がある。
- ナトリウム：体液の浸透圧やpHを維持する作用がある。過剰になると、血圧上昇を引き起こす。
- 鉄：たんぱく質と結合してヘモグロビン（血色素）をつくる重要成分。欠乏症は、鉄欠乏性貧血。
- 亜鉛：たんぱく質や核酸の代謝に関与。欠乏症は、味覚障害。

問9 **次のうち、日本の食に関する記述として、正しいものを二つ選びなさい。**

1 「和食；日本人の伝統的な食文化」が2013（平成25）年にユネスコ無形文化遺産に登録され、一汁四菜の理想的な栄養バランスが認められた。

2 人日（じんじつ）の節句には、七草がゆを食べる。

3 購入した調理済み食品を家庭に持ち帰って食べることを、内食という。

4 食事の総摂取エネルギー中に占める炭水化物（糖質）の比率が年々減少して、脂肪の比率が上昇している。

5 令和4年度食料自給率（農林水産省）は、供給熱量ベースで30%以下である。

問10 **次の文は、乳汁栄養と母乳育児に関する記述である。適切な記述を○、不適切な記述を×とした場合の正しい組み合わせを一つ選びなさい。**

A 母乳は乳児に最適な成分組成で、代謝負担が少ない。

B 出産後、数日以内に分泌される黄色味を帯びた粘りのある乳を初乳という。

C 乳児用調製粉乳は、サルモネラ属菌等の感染リスク低減のため、60℃以上の湯で調乳する。

D 「母乳育児成功のための10のステップ（2018年改訂）」（WHO/UNICEF共同発表）では、出産後30分以内に、直接かつ妨げられない肌と肌の触れ合いができるようにし、母乳育児を始められるよう母親を支援する、としている。

E 「母乳育児成功のための10のステップ（2018年改訂）」（WHO/UNICEF共同発表）では、母親が乳児と一緒にいられ、24時間同室で過ごすことができるようにする、としている。

（組み合わせ）

	A	B	C	D	E
1	○	○	×	×	○
2	○	×	×	○	○
3	○	×	○	×	×
4	×	○	○	×	○
5	×	×	×	○	×

解答・解説⑨　　答　2、4

1× 一汁四菜ではなく、**一汁三菜**の栄養バランスに優れた食生活などが認められた。

2○ 1月7日の人日の節句には、春の七草（せり、なずな、ごぎょう、はこべら、ほとけのざ、すずな、すずしろ）を入れた七草がゆを食べる。

3× 記述は**中食**のことである。内食は、食材を購入して家庭内で調理することをいう。

4○ 脂質のエネルギー摂取比率が上昇しており、生活習慣病の要因となりやすいことが問題視されている。

5× 令和4年度食料自給率（農林水産省）は、供給熱量ベースで**38%**であり、30%以下ではない。

解答・解説⑩　　答　1

A○ 母乳は、乳児の必要とする栄養素すべてを含んでいる。また、それらのほとんどが消化・吸収・代謝されるため、分解したり合成したりする**代謝負担が少ない**。

B○ 初乳は、たんぱく質や無機質が多く、乳糖は少ない。免疫グロブリンAなどの感染防御因子も多く含んでいる。

C× 感染リスクを減少させるために、**70℃以上の湯**で調乳する。「2018年改訂版保育所における感染症ガイドライン（2023〔令和5〕年5月一部改訂）」（こども家庭庁）2.「感染症の予防」（2）「衛生管理」ア）「施設内外の衛生管理」○「調乳・冷凍母乳」に示されている。

D× 出産後30分以内にではなく、**出産後できるだけすぐに**が正しい。厚生労働省「授乳・離乳の支援ガイド」<参考資料10>「母乳育児成功のための10のステップ（2018年改訂）（仮訳）」【臨床における主要な実践】4に示されている。

E○ 同実践の7に示されている。

アドバイス

病原体などの侵入に対して生体を感染から防御するメカニズムとして、リンパ球のB細胞からできる抗体となるたんぱく質を免疫グロブリン（Ig）という。

●免疫グロブリンの種類●

- IgA：病原体の粘膜からの侵入を防御、初乳に含まれる
- IgM：感染初期に多く産出
- IgG：感染防御の主体。病原体と結合して感染を阻止する。胎盤を通して胎児に移行
- IgE：アレルギー反応に関与
- IgD：働きはほぼ不明

問11 **次のうち、乳児用調製乳に関する記述として、不適切なものの組み合わせを一つ選びなさい。**

A　フォローアップミルクは、母乳の代替食品である。

B　フォローアップミルクは、カルシウムを多く含んでいる。

C　アミノ酸混合乳は、アレルギー児用の人工乳である。

D　乳児用調製乳は、特別用途食品の表示対象食品である。

E　乳児用液体ミルクは、調乳する必要がなく常温のまま飲むことができる。

（組み合わせ）

1　A　B

2　A　E

3　B　C

4　C　D

5　D　E

問12 **次の文は、「妊娠前からはじめる妊産婦のための食生活指針」（令和3年：厚生労働省）に関する記述である。（　A　）～（　D　）にあてはまる語句と数値の正しい組み合わせを一つ選びなさい。**

- 妊娠中の適切な体重増加量は、（　**A**　）の体格別に示されている。
- 体格が「ふつう」の場合の「体重増加量指導の目安」は、（　**B**　）kgである。
- 妊娠前から妊娠初期にかけて、（　**C**　）をしっかりとることで、赤ちゃんの神経管閉鎖障害の予防につながります。（　**D**　）を積極的に摂取し、サプリメントも上手に活用しながら、（　**C**　）を摂取しましょう。

（組み合わせ）

	A	B	C	D
1	妊娠前	10～13	葉酸	緑黄色野菜
2	妊娠前	12～15	鉄	緑黄色野菜
3	妊娠前	10～13	鉄	赤身の肉や魚
4	妊娠時	12～15	葉酸	緑黄色野菜
5	妊娠時	10～13	葉酸	赤身の肉や魚

解答・解説⑪　　答　1

A×　**フォローアップミルク**は**母乳の代替食品ではない**ので、離乳が順調に進んでいる場合は、摂取する必要はない。

B×　**フォローアップミルク**に多く含まれているのは**鉄**であり、育児用ミルクの約1.4倍の含有量がある。離乳が順調に進まず鉄欠乏のリスクが高い場合や、適当な体重増加がみられない場合は、医師に相談し、フォローアップミルクの活用を検討する。

C○　**アミノ酸混合乳**は、牛乳たんぱく質を含まず精製アミノ酸でできているため、アレルギー症状を起こすことがない。

D○　**特別用途食品**は、乳児の発育や、妊産婦、授乳婦、嚥下困難者、病者などの健康の保持・回復などに適するという特別の用途について表示を行う食品である。**乳児用調製乳**（乳児用調製粉乳、乳児用調製液状乳）は**表示許可の対象**であり、許可マークが付けられている。

E○　**乳児用液体ミルク**は、調乳する必要がなく滅菌済みなのですぐに使用できる。常温（おおむね25℃以下）で保存できるので、災害時に有用である。

解答・解説⑫　　答　1

「妊娠前からはじめる妊産婦のための食生活指針」により、（A）～（D）は次の通りになる。

Aー妊娠前

Bー10～13

Cー葉酸

Dー緑黄色野菜

妊娠中の適切な体重増加量は、妊娠前の体格別に示され、「低体重（やせ）」の場合は12～15kg、「ふつう」の場合は10～13kg、「肥満（1度）」の場合は7～10kg、「肥満（2度以上）」は個別対応となっている。また、野菜には、ビタミン、ミネラル、食物繊維など、母体の健康及び胎児の発育を確保できる栄養成分が含まれている。中でも、**緑黄色野菜**に含まれる**葉酸**が不足すると、神経管閉鎖障害の発症リスクが上昇する。このリスクを低減させるために、十分な葉酸摂取が勧められる。

問13 **次のうち、「妊娠前からはじめる妊産婦のための食生活指針」（令和3年：厚生労働省）に関する記述として、不適切な記述を一つ選びなさい。**

1 妊娠したら、バランスのよい食事をしっかりとりましょう

2 「主食」を中心に、エネルギーをしっかりと

3 「主菜」を組み合わせてたんぱく質を十分に

4 乳製品、緑黄色野菜、豆類、小魚などでカルシウムを十分に

5 母乳育児も、バランスのよい食生活のなかで

問14 **次のうち、「授乳・離乳の支援ガイド」（2019年：厚生労働省）の「2 離乳の支援の方法（4）食品の種類と調理」に関する記述として、適切なものを○、不適切なものを×とした場合の正しい組み合わせを一つ選びなさい。**

A 離乳の開始は、おかゆ（米）から始める。

B 慣れてきたら、じゃがいもや人参等の野菜、果物、さらに慣れたら豆腐や赤身魚、生卵など種類を増やしていく。

C 肉類をはじめて与えるときは、食べやすく調理した脂肪の少ないものを与える。

D 牛乳を飲用として与える場合は、鉄欠乏性貧血の予防の観点から、1歳前から用いてよい。

E 離乳食に慣れ、1日2回食に進む頃には、家族の食事から調味する前のものを取り分けたりして、食品の種類や調理方法が多様になるような食事内容とする。

（組み合わせ）

	A	B	C	D	E
1	○	○	○	○	×
2	○	×	○	×	○
3	○	×	×	×	×
4	×	○	○	×	○
5	×	○	×	○	×

解答・解説⑬

答　1

1× 妊娠したらではなく、**妊娠前**が正しい。妊娠前から自分の食生活を見直し、主食・主菜・副菜を組み合わせたバランスのよい食事で健康な体づくりを心がける。

2○ 「主食」とは、ごはん・パン・麺など、炭水化物を多く含み、エネルギーのもととなる料理である。妊娠中、授乳中には必要なエネルギーも増加するため、炭水化物の豊富な**主食**をしっかり摂るようにする。

3○ たんぱく質は体の構成に必要な栄養素である。「主菜」は、魚や肉、卵、大豆製品などを使った、食事の中心となるおかずの料理で、たんぱく質を多く含むため、**主菜**を十分に摂るようにする。

4○ 日本人**女性のカルシウム摂取量**は**不足**しがちであるため、妊娠前から乳製品、緑黄色野菜、豆類、小魚などでカルシウムを摂るように心がける。

5○ 授乳中には、エネルギー及び様々な栄養素を妊娠前よりも多く摂取することが推奨されている。付加量を十分に摂取できるように、バランスよくしっかり食事を摂ることが大切である。

解答・解説⑭

答　2

A○ 離乳の開始時の食品は、子どもが口の中で押しつぶせる固さになるよう十分加熱調理する。初めは「**つぶしがゆ**」とし、慣れてきたら粗つぶし、つぶさないままと進めて、軟飯へと移行する。

B× 赤身魚ではなく**白身魚**、生卵ではなく**固ゆでした卵黄**が正しい。卵は、卵黄から全卵と進めていく。

C○ 脂肪の多い肉類を与えるのは少し遅らせる。

D× 牛乳などのカルシウムを多く含む食品は、鉄の吸収を抑制することがある。鉄欠乏性貧血の予防の観点から、牛乳を与えるのは**1歳を過ぎてから**が望ましい。

E○ 1日2回食に進む頃は、穀類（主食）、野菜（副菜）・果物、たんぱく質性食品（主菜）を組み合わせた食事とする。食事を用意する者の負担にならないこと、手軽においしく安価でできることも大切である。

問15 **次の文は、「平成27年度乳幼児栄養調査」（厚生労働省）に関する記述である。適切なものの組み合わせを一つ選びなさい。**

A 離乳食の完了時期は、10年前に比べ早くなる傾向にある。

B 「子どもの食事で特に気をつけていること」（2～6歳児）は、「特にない」と回答した者の割合は約5割であった。

C 「朝食習慣」（2～6歳児）で、毎日、朝食を「必ず食べる」と回答した者の割合は9割を超えている。

D 「子どもの間食の与え方」（2～6歳児）で、「時間を決めてあげることが多い」と回答した者の割合が最も高率であった。

E 「13種類の食物の摂取頻度」（2～6歳児）で、穀類、お茶など甘くない飲料、野菜、牛乳・乳製品は、「毎日2回以上」摂取していると回答した者の割合が最も高率であった。中でも、野菜の割合が一番高かった。

（組み合わせ）

1 A B　　**4** C D
2 A C　　**5** D E
3 B E

問16 **次の文は、「授乳・離乳の支援ガイド」（2019年：厚生労働省）に関する記述である。適切な記述を○、不適切な記述を×とした場合の正しい組み合わせを一つ選びなさい。**

A 離乳の開始では、離乳食に慣れさせるために母乳やミルクは制限する。

B スプーン等の使用は、離乳の開始以降でよい。

C 離乳の開始頃は調味料は使用しない。

D 母乳育児の場合、ヘモグロビン濃度が高く、鉄欠乏を生じにくい。

E 離乳の完了は、母乳又は育児用ミルクを飲んでいない状態を意味する。

（組み合わせ）

	A	B	C	D	E
1	○	×	○	○	○
2	×	×	○	○	×
3	○	×	×	×	○
4	×	○	○	×	×
5	×	○	×	○	○

解答・解説⑮　　答 4

A×　離乳食の完了時期は、10 年前より**ピークが遅くなっている**。「13 ～ 15 か月」の割合が 33.3%と最も高かった。

B×　「子どもの食事で特に気をつけていること」は「特にない」と回答した者の割合は **1.7%**で、最下位であった。ほとんどの保護者は子どもの食事について何らかの気をつけていることがあったといえる。

C○　毎日、朝食を「必ず食べる」子どもは 93.3% にのぼる。また、保護者が朝食を必ず食べる場合は、子どもも朝食を必ず食べる割合が高い。

D○　「**時間を決めてあげることが多い**」が 56.3%と最も高かった。

E×　「毎日 2 回以上」は、**穀類**が 97.0%と最も高く、お茶など甘くない飲料 84.4%、野菜 52.0%、牛乳・乳製品 35.8%の順となっている。

解答・解説⑯　　答 4

A×　離乳開始時の生後 5、6 か月頃は、離乳食は子どもの様子をみながら **1 日 1 回 1 さじずつ**始め、母乳やミルクは**飲みたいだけ与える**ようにする。

B○　哺乳反射が減弱・消失していく過程でスプーンが口に入ることも受け入れられていくのが、5 ～ 6 か月頃であり、離乳が始まる頃である。

C○　離乳の開始時期は、調味料は必要ない。

D×　母乳育児では、生後 6 か月の時点でヘモグロビン濃度が低く、**鉄欠乏を生じやすい**との報告がある。また、ビタミン D 欠乏の指摘もある。そのため、**鉄**や**ビタミン D** の供給源となる食品を離乳食で摂取する。

E×　離乳の完了とは、形のある食べ物をかみつぶすことができるようになり、エネルギーや栄養素の大部分を、母乳や育児用ミルク以外の食べ物から摂れるようになった状態をいう。母乳又は育児用ミルクを飲んでいない状態を**意味するものではない**。

次のうち、「授乳・離乳の支援ガイド」（2019 年：厚生労働省）における食物アレルギーに関する記述として、適切な記述を○、不適切な記述を×とした場合の正しい組み合わせを一つ選びなさい。

A　食物アレルギーとは、特定の食物を摂取した後にアレルギー反応を介して皮膚・呼吸器・消化器あるいは全身性に生じる症状のことをいう。

B　乳児期に発症し、成人になっても症状は改善しない。

C　食物アレルギーの発症リスクに影響する因子として、遺伝的素因、皮膚バリア機能の低下などが指摘されている。

D　乳児から幼児早期の主要原因食物は、鶏卵、牛乳、小麦の割合が高い。

E　食物アレルギーの予防効果があるとして、離乳の開始や特定の食物の摂取開始を遅らせることがあげられている。

（組み合わせ）

	A	B	C	D	E
1	×	×	○	○	○
2	○	×	○	○	×
3	○	○	×	×	○
4	×	○	○	○	○
5	○	×	×	×	×

問18 **次のうち、幼児期の食生活に関する記述として、不適切な記述を一つ選びなさい。**

1　「授乳・離乳の支援ガイド」（2019 年：厚生労働省）では、生後 12 か月～18 か月頃は、1 日 3 回の食事と、その他に 1 ～ 2 回の間食を目安にするとしている。

2　幼児期は成長期であるため、良質なたんぱく質として植物性たんぱく質のみを摂るようにする。

3　蜂蜜は 1 歳を過ぎれば与えてよい。

4　「平成 27 年度乳幼児栄養調査」（厚生労働省）において、現在子どもの食事について困っていることは、2 歳～ 3 歳未満では「遊び食べをする」と回答した者の割合が最も高い。

5　1 歳 6 か月頃までに奥歯が生えても、成人と同じ固さの固形物を食べることはできない。

解答・解説⑰　答　2

A○　アレルギー反応により、じん麻疹などの皮膚症状、腹痛や嘔吐などの消化器症状、ゼーゼー、息苦しさなどの呼吸器症状が起こる。また、これらが複数同時にかつ急激に出現することをアナフィラキシーという。さらに、アナフィラキシーショックが起こった場合は、血圧の低下と意識レベルの低下等がみられ、生命に関わることがある。

B×　有病者は**乳児期が最も多く**、加齢とともに漸減する。

C○　そのほか、秋冬生まれ、特定の食物の摂取開始時期の遅れが指摘されている。

D○　そのほとんどが小学校入学前までに治ることが多い。

E×　記述のような科学的根拠はない。**生後5～6か月頃**から離乳を始めるように情報提供を行う。

解答・解説⑱　答　2

1○　生後12か月～18か月頃は、**離乳完了の時期**である。母乳や育児用ミルク以外の食べ物から、必要なエネルギーや栄養素を摂ることができる。

2×　大豆製品などの植物性たんぱく質とともに、卵、魚、肉などの**動物性たんぱく質**を十分摂るようにする。

3○　蜂蜜は、乳児ボツリヌス症の原因食品といわれ、乳児特有の感染症である。満1歳を過ぎていれば与えても発症しない。

4○　「遊び食べをする」と回答した者の割合は41.8%と最も高い。

5○　1歳～1歳6か月頃までに奥歯が生えてくるが、まだ**噛む力は弱い**ため、食べる機能の発達にあわせた食材選びや調理を工夫する必要がある。

アドバイス

●離乳の進め方の目安●

	離乳初期 生後5～6か月頃	離乳中期 生後7～8か月頃	離乳後期 生後9～11か月頃	離乳完了期 生後12～18か月頃
歯の萌出の目安	—	・乳歯が生え始める	・1歳前後で前歯が8本生え揃う ・離乳完了期後半頃に奥歯（第一乳臼歯）が生え始める	
調理形態	なめらかにすりつぶした状態	舌でつぶせる固さ	歯ぐきでつぶせる固さ	歯ぐきで噛める固さ

問19 **次のうち、「楽しく食べる子どもに～保育所における食育に関する指針～」（平成16年：厚生労働省）の「食育の目標」の一部として、不適切な記述を一つ選びなさい。**

1　お腹がすくリズムのもてる子ども

2　残さずに食べる子ども

3　一緒に食べたい人がいる子ども

4　食事づくり、準備にかかわる子ども

5　食べものを話題にする子ども

問20 **次のうち、間食に関する記述として、不適切な記述を一つ選びなさい。**

1　生活のリズムを整え3回の食事を規則的にして、1～2回の間食は子どもの好きな時間に欲しがる量を与える。

2　間食の内容としては、おにぎり、ふかしいも、牛乳・乳製品、果物など、素材をそのまま生かしたものが適している。

3　「平成27年度乳幼児栄養調査」（厚生労働省）では、子どもの間食として、甘い飲み物やお菓子を1日に摂る回数は、どの年齢階級も「1回」と回答した者の割合が最も高かった。

4　間食は、水分補給の意義も大きいが、果汁や清涼飲料水の摂り過ぎには配慮が必要である。

5　「平成30年度・令和元年度児童生徒の健康状態サーベイランス事業報告書」（公益財団法人日本学校保健会）によると、お菓子を食べ続ける者は、学年が進むに従って増加する傾向である。

解答・解説⑲　答 2

1、3～5○ 「食育の目標」として、①**お腹がすくリズムのもてる子ども**、②食べたいもの、好きなものが増える子ども、③**一緒に食べたい人がいる子ども**、④**食事づくり、準備にかかわる子ども**、⑤**食べものを話題にする子ども**の5つの子ども像の実現を目指している。

2× 「残さずに食べる子ども」は、「食育の目標」の子ども像には入っていない。

解答・解説⑳　答 1

1× 1日3回の食事と1～2回の間食を**時間と量を決めて規則的に**与えないと、むし歯の原因となったり、本来の食事時に食欲がわかないなどの弊害が生じる。

2○ 素材をそのまま生かした自然な味のものが適している。

3○ どの年齢階級も「**1回**」と回答した者の割合が最も高かった。

4○ 間食は食べ物だけでなく水分と組み合わせることが望ましいが、果汁や清涼飲料水には**糖分が多く**含まれるものもあり、成分表示を確認して与えるようにする。

5○ お菓子を食べ続ける者は、小学校の男女では15%程度であるが、**学年が進むにつれて増加**し、中学生では男子は27.6%、女子27.7%、高校生では男子32.0%、女子35.4%と多くなっている。

アドバイス

● **「楽しく食べる子どもに～食からはじまる健やかガイド～」（平成16年：厚生労働省）の4「発育・発達過程に応じて育てたい“食べる力”」**

● 「幼児期」の内容

①おなかがすくリズムがもてる、②食べたいもの、好きなものが増える、③家族や仲間と一緒に食べる楽しさを味わう、④栽培、収穫、調理を通して、食べ物に触れはじめる、⑤食べ物や身体のことを話題にする。

● 「学童期」の内容

①1日3回の食事や間食のリズムがもてる、②食事のバランスや適量がわかる、③家族や仲間と一緒に食事づくりや準備を楽しむ、④自然と食べ物との関わり、地域と食べ物との関わりに関心をもつ、⑤自分の食生活を振り返り、評価し、改善できる。

● 「思春期」の内容

①食べたい食事のイメージを描き、それを実現できる、②一緒に食べる人を気遣い、楽しく食べることができる、③食料の生産・流通から食卓までのプロセスがわかる、④自分の身体の成長や体調の変化を知り、自分の身体を大切にできる、⑤食に関わる活動を計画したり、積極的に参加したりすることができる。

問21 **次の文は、「平成27年度乳幼児栄養調査」（厚生労働省）に関する記述である。適切な記述の組み合わせを一つ選びなさい。**

A　母乳育児に関する考えでは、妊娠中に、「ぜひ母乳で育てたいと思った」と「母乳が出れば母乳で育てたいと思った」を合わせた割合は、9割を超えている。

B　離乳食の開始時期は「5か月」の割合が最も高く、平成17年度と同じであった。

C　離乳食について困ったことは、割合が高い順に、「作るのが負担、大変」「もぐもぐ、かみかみが少ない（丸のみしている）」「食べる量が少ない」となっている。

D　子どもの主要食物の摂取頻度において、「ファストフード」「インスタントラーメンやカップ麺」は「週に1回以上」と回答した者の割合が最も高かった。

E　子どもの食事で特に気をつけていることは、割合が高い順に、「栄養バランス」「一緒に食べること」「食事のマナー」となっている。

（組み合わせ）

1　A　B　D
2　A　C　D
3　A　C　E
4　B　C　E
5　B　D　E

問22 **次の文は、「楽しく食べる子どもに～保育所における食育に関する指針～」（平成16年：厚生労働省）に関する記述である。【Ⅰ群】の3歳以上児の食育のねらいの5つの項目と、【Ⅱ群】の内容を結びつけた場合の正しい組み合わせを一つ選びなさい。**

【Ⅰ群】

A「食と健康」　**B**「食と人間関係」　**C**「食と文化」
D「いのちの育ちと食」　**E**「料理と食」

【Ⅱ群】

ア　身近な大人や友達とともに、食事をする喜びを味わう。

イ　自分たちで育てた野菜を食べる。

ウ　食材の色、形、香りなどに興味を持つ。

エ　慣れない食べものや嫌いな食べものにも挑戦する。

オ　挨拶や姿勢など、気持ちよく食事をするためのマナーを身につける。

（組み合わせ）

	A	B	C	D	E
1	ウ	ア	イ	エ	オ
2	イ	オ	エ	ウ	ア
3	エ	ア	オ	イ	ウ
4	エ	オ	ウ	イ	ア
5	オ	イ	エ	ア	ウ

解答・解説㉑　答　3

A○　「ぜひ母乳で育てたいと思った」43.0%と「母乳が出れば母乳で育てたいと思った」50.4%を合計すると93.4%となり、**9割を超えている**。

B×　開始時期は、**「6か月」の割合が44.9%と最も高く**、平成17年度よりピークが1か月遅くなっていた。

C○　「作るのが負担、大変」33.5%、「もぐもぐ、かみかみが少ない（丸のみしている）」28.9%、「食べる量が少ない」21.8%の順になっている。

D×　「ファストフード」を週1回未満摂取する者は、81.0%、「インスタントラーメンやカップ麺」では70.3%で、**「週に1回未満」が最も高かった**。

E○　「栄養バランス」72.0%、「一緒に食べること」69.5%、「食事のマナー」67.0%の順となっている。

解答・解説㉒　答　3

Aエ　「**食と健康**」の内容③に示されている。

Bア　「**食と人間関係**」の内容①に示されている。

Cオ　「**食と文化**」の内容⑦に示されている。

Dイ　「**いのちの育ちと食**」の内容⑤に示されている。

Eウ　「**料理と食**」の内容④に示されている。

「楽しく食べる子どもに～保育所における食育に関する指針～」（平成16年：厚生労働省）では、食と子どもの発達の観点から、6か月未満児、6か月～1歳3か月未満児、1歳3か月～2歳未満児、2歳児、3歳以上児の食育の「ねらい」とそれぞれの「内容」を示している。

次のうち、「保育所におけるアレルギー対応ガイドライン」（2019 年：厚生労働省）に関する記述として、適切なものの組み合わせを一つ選びなさい。

A　保育所の食物アレルギー対応における食物除去は、完全除去を基本とする。

B　アレルギー有病率は乳幼児期が高く、成長とともに治癒することも多いが、除去の継続を推奨することが大切である。

C　これまで食物アレルギーの診断がなされていない子どもにおいても、保育所で初めて食物アレルギーの発症が起こることがある。

D　食事以外での食材を使用するとき（豆まき、おやつ作りなど）や、非日常的なイベント時（遠足、運動会など）には、職員が準備や手順に追われ、注意が散漫になる傾向があり、誤食が起こることがある。

E　大豆アレルギーの場合、基本的に醤油も除去する。

（組み合わせ）

1　A　B　E
2　A　C　D
3　A　C　E
4　B　C　D
5　B　D　E

問24

次の文のうち、食中毒の原因物質に関する記述として、不適切な記述を一つ選びなさい。

1　黄色ブドウ球菌は、人の鼻腔内や化膿した傷に存在している。

2　カンピロバクター食中毒の主な原因食品は、魚介類およびその加工品である。

3　ウエルシュ菌食中毒は、1 件あたりの患者数が多く大規模化しやすい。

4　ノロウイルスの消毒に、消毒用アルコールは効果がない。

5　じゃがいものソラニンの中毒症状は、30 分～数時間で吐き気、腹痛、めまい、のどの痛みなどを起こす。

解答・解説㉓　答　2

A○　食物アレルギーを有する子どもへの食対応は、安全への配慮を重視し、できるだけ**単純化**し、「**完全除去**」か「**解除**」の両極で対応を開始する。

B×　有病率は乳幼児期が高いが、成長とともに治癒することが多いことから、除去については、**定期的に見直しすること**が必要である。

C○　保育所で提供される給食等で初めて食物アレルギーを発症することもあり、体制を整えておく必要がある。

D○　特別な日には、**誤食**などの事故が起こる例が多く、注意が必要である。

E×　醤油の原材料は大豆であるが、醤油が生成される発酵過程で大豆タンパクは分解される。また、調理に利用する量も少ないため、重症な大豆アレルギーでなければ**利用できることが多い**。

解答・解説㉔　答　2

1○　特に、手や指に膿の出る傷などのある人は、調理や食品の取り扱いに従事しないようにする。

2×　カンピロバクターの菌は家畜の腸内に生息し、特に**鶏の保菌率が高い**。鶏の刺身、焼き鳥などの**加熱不足による感染**が多くなっている。設問の記述は、腸炎ビブリオのことである。

3○　ウエルシュ菌は酸素が少ない環境を好むので、原因食品には煮込み料理（カレー、麺のつけ汁、野菜の煮付け）などがある。大量調理する場合は、食品をかき混ぜて酸素を送り込むこと、急速に冷却することが必要である。

4○　ノロウイルスの消毒には、**次亜塩素酸ナトリウム**を用いる。人の嘔吐物や糞便も感染源となる。二枚貝などの食品の場合は、中心温度 85 ～ 90℃で 90 秒以上の加熱が有効である。

5○　じゃがいもの芽や日光が当たって緑化した部分はソラニン類が多く含まれるため、これらの部分を**十分に取り除いて調理する**。

アドバイス

●アレルギー物質●

表示が義務付けられている特定原材料 8 品目
卵、乳、小麦、そば、落花生、えび、かに、くるみ
※くるみは現在経過措置中であり、2025（令和 7）年より完全義務化される。

問25 **次の文は、「第４次食育推進基本計画」（令和３年：農林水産省）に関する記述である。適切な記述の組み合わせを一つ選びなさい。**

A　重点事項１として「生涯を通じた心身の健康を支える食育の推進（社会・環境・文化の視点）」が示されている。

B　重点事項３として「『新たな日常』やデジタル化に対応した食育の推進（横断的な視点）」が示されている。

C　食育の推進に当たっての目標の一つに、「学校給食における地場産物を活用した取組等を増やす」がある。

D　食育の推進に当たっての目標の一つに、「環境に配慮した農林水産物・食品を選ぶ国民を増やす」がある。

E　食育の推進に当たっての目標の一つに、「 健康な生活習慣（栄養・食生活、運動）を有する子どもの割合を増やす」がある。

（組み合わせ）

1	A	B	C	**4**	B	C	D
2	A	C	E	**5**	B	D	E
3	A	D	E				

問26 **次の文は、小学校６年生と中学校３年生を対象に実施した「令和５年度全国学力・学習状況調査」に関する記述である。適切なものの組み合わせを一つ選びなさい。**

A　毎日の睡眠が十分な子どもほど、学力調査の平均正答率が高い傾向であった。

B　「毎日、同じくらいの時刻に起きていますか」という質問に対して、「あまりしていない」及び「全くしていない」と回答した中学生の割合は約２割であった。

C　「毎日、同じくらいの時刻に起きていますか」という質問に対して、「あまりしていない」及び「全くしていない」と回答した小学生の割合は約１割であった。

D　「朝食を毎日食べていますか」という質問に対して、「している」及び「どちらかといえば、している」と回答した小学生の割合は９割を超えていた。

E　「朝食を毎日食べていますか」という質問に対して、「している」及び「どちらかといえば、している」と回答した中学生の割合は９割未満であった。

（組み合わせ）

1	A	B	**4**	C	D
2	A	E	**5**	D	E
3	B	C			

解答・解説㉕　答 4

A× （社会・環境・文化の視点）ではなく、（**国民の健康の視点**）が正しい。（社会・環境・文化の視点）は、重点事項 2 の「持続可能な食を支える食育の推進」の視点である。

B○ 記述の通りである。「第 4 次食育推進基本計画」では基本的な方針として **3 つの重点事項**が示されている。

C○ 「食育の推進に当たっての目標」の 5 として示されている。

D○ 「食育の推進に当たっての目標」の 12 として示されている。

E× 記述は、「健康日本 21（第二次）」に示されている目標である。

「食育推進基本計画」は、食育基本法に基づき、食育の推進に関する基本的な方針や目標について定めている。令和 3 年度から令和 7 年度までの 5 年間を期間とする**第 4 次食育推進基本計画**では、基本的な方針として **3 つの重点事項**、食育推進の 16 の目標と 24 の目標値を掲げている。

解答・解説㉖　答 4

A× 学力調査の平均正答率が高い傾向が示されているのは、**毎日朝食を食べる子供**である（「令和 5 年度 全国学力・学習状況調査 調査結果資料【全国版 / 小学校】【全国版 / 中学校】」4.「質問紙調査の結果」（3）「クロス集計表」）。

B× 「毎日、同じくらいの時刻に起きていますか」という質問に対して、**否定的な回答をした中学生**の割合 8.3%で、**約 1 割弱**であった（同資料 4.（1）「回答結果集計［生徒質問紙］」）。

C○ 「毎日、同じくらいの時刻に起きていますか」という質問に対して、**否定的な回答をした小学生**の割合は 9.4%で、**約 1 割**であった（同資料 4.（1）「回答結果集計［児童質問紙］」）。

D○ 「朝食を毎日食べていますか」という質問に対して、**肯定的な回答をした小学生**の割合は 93.9%で、**9 割を超えていた**（同資料 4.（1）「回答結果集計［児童質問紙］」）。

E× 「朝食を毎日食べていますか」という質問に対して、**肯定的な回答をした中学生**の割合は 91.1%で、**9 割を超えていた**（同資料 4.（1）「回答結果集計［生徒質問紙］」）。

問27 **次のうち、障害がある小児の食生活に関する記述として、適切な記述を○、不適切な記述を×とした場合の正しい組み合わせを一つ選びなさい。**

A　食事介助では、障害のない子どもの食べる量より少なめを、1回量として口に運ぶようにする。

B　水やお茶のような純液体は、少量が気管に取り込まれて誤嚥が起こる場合があるので注意する。

C　摂食障害がある場合、食事は摂食の訓練になるので、食品は可能な限り普通食に近い状態に調理する。

D　障害が重症で食事時間が長時間になる場合は、食事が苦痛にならないように、低エネルギー、低たんぱく質の食品を少量与えることを心がける。

E　食べ物を飲み込みやすく調整するために、調理に使用する食品として、くず粉や寒天などがある。

（組み合わせ）

	A	B	C	D	E
1	○	○	×	×	○
2	×	○	×	○	×
3	×	×	○	○	○
4	○	×	×	○	×
5	○	○	○	×	○

問28 **次の文は、「食育基本法」の第2条の一部である。（　A　）～（　D　）にあてはまる語句の正しい組み合わせを一つ選びなさい。**

食育は、食に関する（　A　）を養い、生涯にわたって（　B　）を実現することにより、国民の（　C　）と豊かな（　D　）に資することを旨として、行われなければならない。

（組み合わせ）

	A	B	C	D
1	感謝の念	豊かな食生活	健康寿命の延伸	人間形成
2	感謝の念	豊かな食生活	心身の健康の増進	人間形成
3	適切な判断力	健全な食生活	心身の健康の増進	人間形成
4	感謝の念	健全な食生活	心身の健康の増進	社会の実現
5	適切な判断力	健全な食生活	健康寿命の延伸	社会の実現

解答・解説㉗　答　1

A○　誤嚥を防ぐためにも、**少なめの量**を口に運ぶようにする。また、対象者の食べる速度に合わせて介助することも大切である。

B○　**とろみ**のついている液体やまとまった食べ物の方が、飲み込みやすい。

C×　対象者にとって**安全な食事形態**から始め、段階的にレベルを上げていくことが大事である。このような摂食訓練を行うときには、医師への相談が必要である。

D×　食事時間が長くならないよう、少量で**高エネルギー**、**高たんぱく質**が摂取できる食品を選択する必要がある。

E○　食べ物にとろみをつけると、のどごしが良くなり飲み込みやすくなるため、嚥下補助食品のくず粉、寒天、ゼラチン、片栗粉、コーンスターチや、市販のとろみ調整食品などを用いるとよい。

解答・解説㉘　答　3

「食育基本法」第1章「総則」第2条により、(　A　)～(　D　)は次の通りとなる。

A－適切な判断力

B－健全な食生活

C－心身の健康の増進

D－人間形成

「食育基本法」は、2005（平成17）年に、国民が**健全な心身を培い**、**豊かな人間性を育む**ため、食育に関する施策を総合的かつ計画的に推進することなどを目的として創設されたものである。

問29 **次の文は、保育所における食育に関する記述である。不適切な記述を一つ選びなさい。**

1 保育所における食育は、健康な生活の基本としての「食を営む力」の育成に向け、その基礎を培うことを目標とする。

2 乳幼児期にふさわしい食生活が展開され、適切な援助が行われるよう、食事の提供を含む食育計画を全体的な計画に基づいて作成し、その評価及び改善に努めること。

3 子どもが自らの感覚や体験を通して、自然の恵みとしての食材や食の循環・環境への意識、調理する人への感謝の気持ちが育つよう配慮すること。

4 体調不良、食物アレルギー、障害のある子どもなど、一人一人の子どもの心身の状態等に応じ、全職員で対応すること。

5 栄養士が配置されている場合は、その専門性を生かした対応をすること。

問30 **次の文は、「学校給食実施基準の一部改正について」（令和3年：文部科学省）に関する記述である。（ A ）～（ D ）にあてはまる語句の正しい組み合わせを一つ選びなさい。**

「学校給食摂取基準」については、（ A ）を参考とする。（ B ）については、「学校給食摂取基準」を踏まえ、多様な食品を適切に組み合わせて、児童生徒が各栄養素をバランス良く摂取しつつ、様々な食に触れることができるようにすること。各地域の実情や家庭における食生活の実態把握の上、（ C ）の実践、わが国の伝統的な食文化の継承について十分配慮すること。さらに、「食事状況調査」の結果によれば、学校給食のない日は（ D ）不足が顕著であり、（ D ）摂取に効果的である牛乳等についての使用に配慮すること。

（組み合わせ）

	A	B	C	D
1	「食事状況調査」の調査結果	栄養摂取	日本型食生活	カルシウム
2	「日本人の食事摂取基準（2020年版）」	食品構成	日本型食生活	カルシウム
3	「食事状況調査」の調査結果	食品構成	世界の食生活	鉄
4	「日本人の食事摂取基準（2020年版）」	食品構成	世界の食生活	カルシウム
5	「日本人の食事摂取基準（2020年版）」	栄養摂取	世界の食生活	たんぱく質

解答・解説㉙　　答　4

1○　各保育所は、保育の内容の一環として食育を位置付け、創意工夫を行いながら食育を推進していくことが求められる。

2○　全体的な計画に基づいた食育計画は、指導計画とも関連付けながら、子どもの日々の主体的な生活や遊びの中で食育が展開されていくよう作成する。

3○　野菜などを栽培・収穫したり、調理過程を手伝うこと等の体験を通して、様々な食材に触れ、食材や調理する人への感謝の気持ちや生命を大切にする気持ちなどが育まれていくようにする。

4×　全職員のほかに、**嘱託医、かかりつけ医等の指示や協力の下に適切に対応**することが必要である。

5○　栄養士は、献立の作成、食材料の選定、調理方法、摂取方法、摂取量の指導に当たり、積極的に食育計画の策定や食育の取り組みの実践等に関わることが期待される。

解答・解説㉚　　答　2

「学校給食実施基準の一部改正について」1「学校給食摂取基準の概要」及び2「学校給食における食品構成について」の記述により、(　A　)～(　D　)は次の通りとなる。

「学校給食摂取基準」は、「**日本人の食事摂取基準（2020年版）**」を参考とすることと、**食品構成**の観点から、**日本型食生活**と、**カルシウム摂取**について述べられている。

A－「日本人の食事摂取基準（2020年版）」

B－食品構成

C－日本型食生活

D－カルシウム

問31 次のうち、食品ロスに関する記述として、適切なものを○、不適切なものを×とした場合の正しい組み合わせを一つ選びなさい。

A 日本の現代の食生活は、飽食の時代と呼ばれているが、同時に家庭・外食の残食や食料品店の店頭廃棄などの食品ロスも問題視されている。

B 国民1人当たりに換算すると、お茶碗1杯分の食べ物が毎日捨てられている。

C 食品ロスの70%は、家庭からのものである。

D 食べ物の可食部分を過剰除去すると、食品ロスは増加する。

E 食品ロスの削減を目的とした法律が存在する。

（組み合わせ）

	A	B	C	D	E
1	○	○	×	○	○
2	○	×	×	○	○
3	○	×	×	○	×
4	×	○	○	×	×
5	×	×	○	×	○

解答・解説㉛ 答 1

A○ 食品ロスとは、食べられるのに捨ててしまう食品のことである。日本においては、食料自給率が低く、食料を海外からの輸入に大きく依存する中、大量の食品ロスが発生しており、その削減が重要な課題となっている

B○ 国民1人当たりの食品ロス量は、**毎日114g**（お茶碗1杯あるいはおにぎり1個分）、年間42kgである。

C× 家庭から排出される食品ロスは、**約50%**である。農林水産省及び環境省の「2021年度推計」によると、**家庭**から**244万t**（47%）、事業者から**279万t**（53%）の排出となっている。

D○ 野菜の皮など食べられるところまで厚くむいて捨てる「**過剰除去**」は、家庭での食品ロスの原因となっている。ほかの原因として、作りすぎて食べきれない「**食べ残し**」、期限切れ等により手つかずのままで捨てる「**直接廃棄**」などがあり、食品ロスは増加する。

E○ 2019（令和元）年に「**食品ロスの削減の推進に関する法律**」が公布され、国全体で食品ロス削減に取り組むこととなった。

保育実習理論

保育実習理論

正答数　1回目 ／32　2回目 ／32

問1 **次の曲の伴奏部分として、A～Dにあてはまるものの正しい組み合わせを一つ選びなさい。**

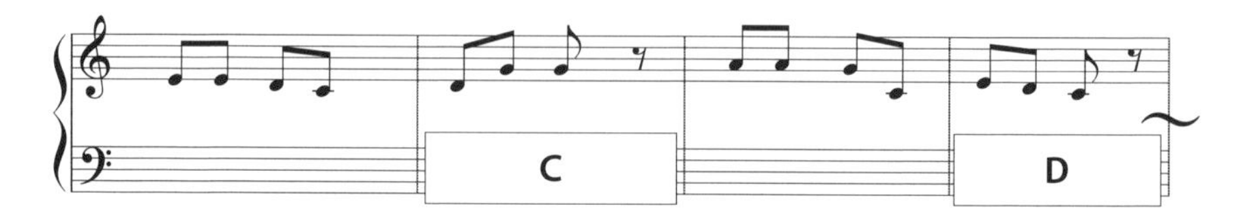

ア　　イ

ウ　　エ

オ

（組み合わせ）

	A	B	C	D
1	イ	ア	エ	オ
2	エ	オ	ア	ウ
3	イ	ア	オ	ウ
4	イ	エ	オ	イ
5	ア	イ	オ	エ

解答・解説 1　　答 3

この曲は、「シャボン玉」（野口雨情 作詞・中山晋平 作曲）の冒頭8小節である。100年前の大正時代に作られた童謡（作詞は1922〔大正11〕年、作曲は翌1923〔大正12〕年）であるが、今なお親しまれている。4分の2拍子、原曲は二長調である。

伴奏形ア〜オのコードは、それぞれ

ア　F（Ⅳ）　**イ**　C（Ⅰ）　**ウ**　G7（V7）（第5音レが省略）／C（Ⅰ）

エ　F（Ⅳ）／C（Ⅰ）　**オ**　G（Ⅴ）　である。　※（　）内は、和音の機能

基本的に、メロディに使われている音と伴奏の構成音は一致することが多いので、メロディに何の音が入っているかを確かめ、どのコードがふさわしい（構成音が同じ）かを確認していく。曲の冒頭はⅠ度の和音で始まることが多いこともヒントになる。

Aの小節のメロディにはソとドがあるので、構成音がドミソであるCがふさわしい。

Bの小節のメロディはラ、ファ、ドで作られており、Fの構成音と一致している。

Cの小節のメロディはレとソであり、構成音がソシレであるGがふさわしい。

Dの小節のメロディは少し複雑で、G（G7）の構成音であるレと、Cの構成音であるドがあり、ここは1拍ずつ別の和音が入ることに気づけば、**ウ**か**エ**が考えられ、G7→Cの**ウ**がふさわしいことがわかる。したがって、

A（1小節目）には、Cである**イ**　**B**（3小節目）には、Fである**ア**

C（6小節目）には、Gである**オ**　**D**（8小節目）には、G7→Cである**ウ**

が、それぞれ入り、正解は選択肢の**3**となる。解き方のポイントは、伴奏和音の構成音とメロディに含まれる音を落ち着いて確認すること。

アドバイス

保育実習理論のうち音楽は全6問で構成されている。ここ数年少しずつ出題形式が変わってきているが、基本的に問われる知識、内容は変わっていない。

第1問：楽譜の読み取り…楽譜を読み、かつ伴奏付けをする力を問う。

第2問：楽典・音楽用語…速度・強弱・曲想に関する用語等を問う。

第3問：コードネーム…メジャー、マイナー、ドミナントセブンスなどの和音の、転回形も含めた構成音の理解を問う。令和5年前期では和音の上と下の音がオクターヴ以上離れている（開離位置の）和音も出題された。

第4問：移調…ある曲の調（キー）を上げ下げした場合の鍵盤の位置または移調後のコードを問う。

第5問：リズム譜…冒頭のリズムから曲名を問う問題のほか、曲名と冒頭2小節のリズムが提示され続く3、4小節目のリズムを問う問題も。

第6問：一般常識…調性や楽語、楽曲の作曲（詞）者の名前、音楽様式や音楽史、楽器の知識などまで、幅広く音楽の一般常識を問う。

問 2 次のA～Dの音楽用語の意味を【語群】から選んだ場合の正しい組み合わせを一つ選びなさい。

A tempo primo

B 8va alta

C allargando

D tutti

【語群】

ア	歌うように	**イ**	最初の速さで	**ウ**	少し弱く	**エ**	総奏、全員で
オ	８度低く	**カ**	はじめに戻る	**キ**	８度高く	**ク**	さらに速く
ケ	表情豊かに	**コ**	強くしながらだんだん遅く				

（組み合わせ）

	A	B	C	D
1	カ	オ	ケ	エ
2	イ	キ	コ	エ
3	カ	キ	ア	ウ
4	ク	オ	ア	イ
5	イ	オ	ケ	エ

問 3 次の楽譜からメジャーコード（長三和音）を抽出した正しい組み合わせを一つ選びなさい。

①　②　③　④　⑤　⑥

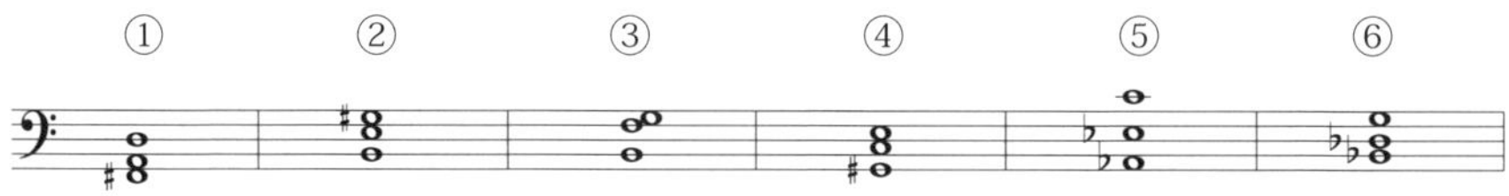

（組み合わせ）

1	①	②	⑤
2	②	③	⑤
3	②	⑤	⑥
4	③	④	⑤
5	①	②	⑥

解答・解説❷　答　2

A　tempo primo ／**最初の速さで**

B　8va alta（オッターヴァ　アルタ）／**8度高く**：alta は「高い」の意。反対に、bassa は「低い」の意で、8度低く奏する場合は、8va bassa（オッターヴァ　バッサ）と表示する。

C　allargando ／**強くしながらだんだん遅く**

D　tutti ／**総奏、全員で**。一人で奏する場合は、solo（独奏、独唱）という。

したがって、**A**、**B**、**C**、**D** の意味を表す用語は、それぞれ、**イ**、**キ**、**コ**、**エ**となり、正解は2である。 残りの語群の言語表記は、**ア** 歌うように→ cantabile　**ウ** 少し弱く→ mp　**オ** 8度低く→ 8va bassa、**カ** はじめに戻る→ Da Capo(D.C.)、**ク** さらに速く→ piu mosso　**ケ** 表情豊かに→ espressivo　となる。

なお、近年本試験で出た用語としては、上記以外に、crescendo（だんだん強く）/decrescendo（だんだん弱く）/ sf（特に強く）/ff（とても強く）/accelerando（だんだん速く）/subito（すぐに）/allegro（快速に）/a tempo（元の速さで）などがある。

音楽用語については、この問題のように原語での出題もみられるため、速度、強弱、曲想、奏法等に分けて、英語の単語練習のように原語の綴りとその意味について、しっかり学習しておくことが大切である。

解答・解説❸　答　1

問題の楽譜には、メジャー、ドミナントセブンス及びオーギュメント、ディミニッシュの各コード（和音）が含まれている。基本形だけでなく**転回形**でも出題されているので、注意する。近年では、オーギュメントコード（増三和音）やディミニッシュコード（減三和音）も含まれて出題されることも多いので、それぞれの構成音の音程関係もしっかり把握しておくことが望ましい。

6つの和音（コード）は、それぞれ

①　D（第一転回形）　②　E（第二転回形）

③　G_7（第一転回形・第5音省略）　④　Caug（第二転回形）

⑤　A♭（基本形）　⑥　Gdim（第一転回形）

である。したがって、メジャーコードは①、②、⑤となり、正解は1である。

なお、⑤のA♭は、根音のラ♭から第3音のドまで1オクターヴ以上離れている開離和音となっている。音符の配列は変わるが構成音自体は変わらないので、慌てずに何の和音かしっかり見極めよう。また楽譜が低音部譜表［ 𝄢 ］（令和4年後期等）と高音部譜表［ 𝄞 ］（令和5年前・後期等）の場合があるので、その点にも注意が必要である。

次のコードネームにあてはまる鍵盤の位置として正しい組み合わせを一つ選びなさい。

D♭ ：ア ②⑦⑩　**イ** ⑦⑪⑭　**ウ** ⑧⑫⑮

Fm ：ア ⑥⑪⑭　**イ** ⑨⑫⑰　**ウ** ⑧⑬⑯

Caug：ア ②⑥⑩　**イ** ⑥⑩⑫　**ウ** ⑩⑬⑱

Gdim：ア ①⑤⑧　**イ** ①④⑦　**ウ** ⑧⑬⑯

B♭7：ア ⑧⑭⑯　**イ** ⑧⑬⑯　**ウ** ④⑧⑬

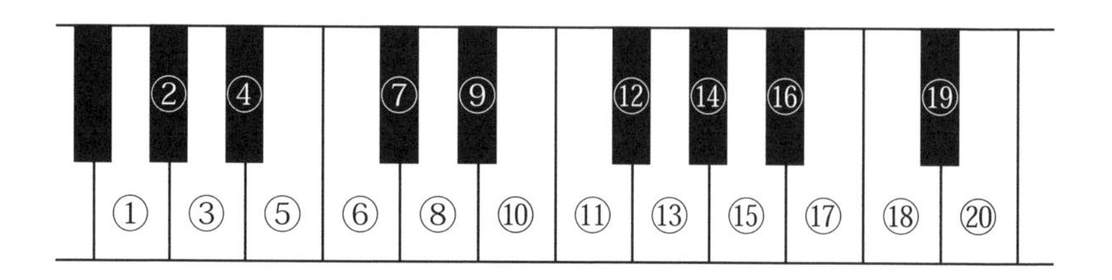

（組み合わせ）

	D♭	Fm	Caug	Gdim	B♭7
1	イ	イ	ウ	ア	ウ
2	ア	イ	ア	ウ	イ
3	イ	ウ	ア	イ	ウ
4	ウ	ウ	ア	イ	イ
5	イ	ア	ア	イ	ア

解答・解説④　　答　5

D♭ーイ　：⑦⑪⑭　基本形　　Fm ーア　：⑥⑪⑭　第二転回形
Caug ーア：②⑥⑩　第二転回形　　Gdimーイ：①④⑦　基本形
B♭7ーア　：⑧⑭⑯　第一転回形（第五音が省略されている）

コードはしくみについて理解することが大切である。まず、コード（和音）には大きく分けて**3和音**と**4和音**がある。3和音とは、ある音を基本にしてその上に3度ずつ2つの音を積み重ねたもの、4和音とは3和音からさらに3度上に1つ音を積み重ねたものをいう。

4和音：

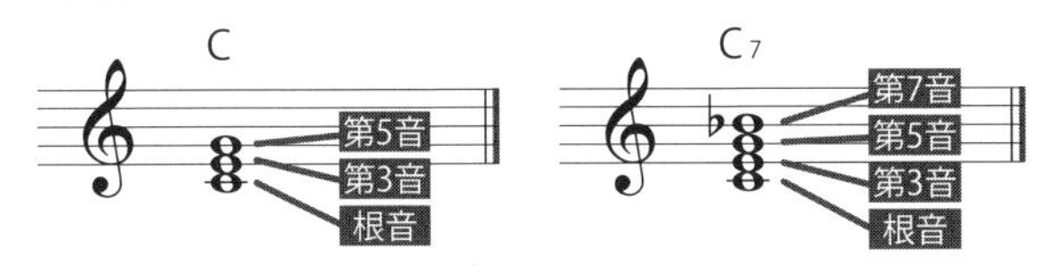

根音と第3音、第3音と第5音、第5音と第7音の関係性（音程）が変化することで、コードの種類となる。短3度は半音1つ＋全音1つ分、長3度は全音2つ分の音の隔たりである。半音、全音については、p.239のアドバイスも参照。

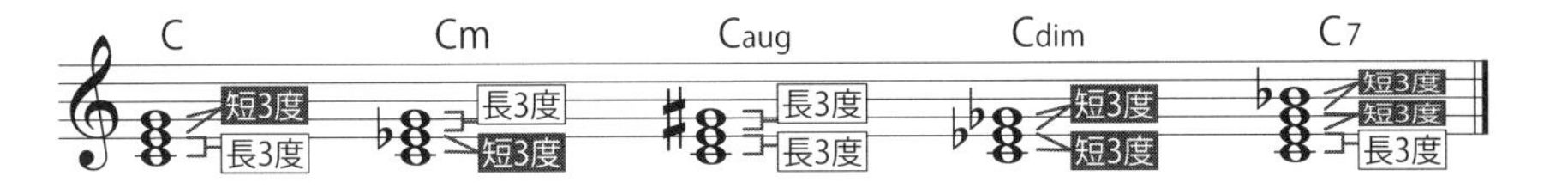

転回形は、3和音の場合、どの音を最低音に置くかによって、基本形、第一転回形、第二転回形に分けられる。下記にCaugの転回形を示す。このように、根音が最低音の場合は基本形と呼ばれる。第3音が最低音の場合は第一転回形、第5音が最低音の場合は第二転回形である。例年、基本形だけでなく転回形も含めて出題されている。

3和音と同様、4和音も転回形があるが、4和音は音が4つのため、第三転回形まである。

問 5 次の楽譜は、ある曲の歌い始めの4小節である。これに関するA～Dのうち、適切な記述を○、不適切な記述を×とした場合の正しい組み合わせを一つ選びなさい。

A　この曲の題名は「虫のこえ」である。

B　２小節目の休符は４分休符、４小節目の休符は８分休符である。

C　１小節目の第１音と第２音の音程は、長３度である。

D　この曲の調性は、ニ長調である。

（組み合わせ）

	A	B	C	D
1	○	○	×	○
2	×	○	○	×
3	×	×	×	○
4	○	×	×	○
5	○	×	○	×

問 6 問5の曲を5歳児クラスで歌ってみたところ、最高音が歌いにくそうであった。そこで長2度下げて歌うことにした。その場合、下記のコードはどのように変えたらよいか、正しい組み合わせを一つ選びなさい。

（組み合わせ）

	D	G	A	A7
1	F	B♭	C	E7
2	C	F	G	G7
3	G	C	B	D7
4	C	D	F	G7
5	B♭	F	E♭	C7

問 7 問5の楽譜を完全4度上に移調した場合の調号として正しいものを一つ選びなさい。

解答・解説⑤　答 4

A○　曲名は「虫のこえ」で正しい。

B×　逆である。2小節目の休符が**8分休符**、4小節目の休符が**4分休符**である。

C×　1小節目の第1音はラ、第2音はファ♯であり、音程関係は全音1つ分＋半音1つ分で、**短3度**となる。

D○　この曲は、調号が♯2つの二長調である。

解答・解説⑥　答 2

元の楽譜は調号が♯2つの二長調である。長2度下げて歌うには、**長2度下の調（＝ハ長調）に移調**することになるので、使われるコードもそれぞれ長2度下のコードにずらせばよい。長2度下のコードというのは、全音1つ分下げたコードになるので、各コードはそれぞれ、D→C、G→F、A→G、A_7→G_7となる。したがって、正解は2である。

解答・解説⑦　答 5

問5の解説にあるように、原曲は調号が♯2つの二長調である。完全4度上に移調すると♯1つの**ト長調**になる。したがって、5が正解である。

アドバイス

●全音と半音●

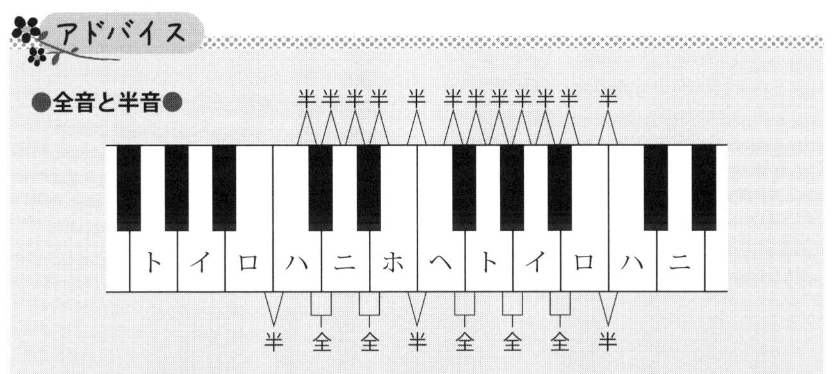

ピアノの鍵盤を見ると、白鍵と黒鍵が並んでいる。白鍵、黒鍵にかかわらず、隣り合う2つの鍵盤の間の関係は**「半音」**である。「半音」2つ分が、**「全音」**に当たる。したがって白い鍵盤「ロ」と「ハ」、「ホ」と「ヘ」の関係は、間に黒い鍵盤がないので、隣り合っている鍵盤となり、「半音」である。

また、ある音から半音1つ分移動した音程を「短2度」という。半音2つ分、つまり全音1つ分の音程は、「長2度」である。したがって、例えばハの短2度下の音はロ、ホの長2度下の音は二となる。

全音と半音、長2度と短2度の関係をよく理解しておこう。

問8 次のリズムは、ある曲の歌いはじめの部分である。それは次のうちどれか、一つ選びなさい。

1 小ぎつね（作詞：勝承夫　ドイツ民謡）

2 こぶたぬきつねこ（作詞：山本直純　作曲：山本直純）

3 アイアイ（作詞：相田裕美　作曲：宇野誠一郎）

4 1ねんせいになったら（作詞：まど・みちお　作曲：山本直純）

5 おもちゃのチャチャチャ（作詞：野坂昭如　補作：吉岡治　作曲：越部信義）

問9 次のリズム譜は、「どんぐりころころ」（作詞：青木存義、作曲：梁田貞）の歌いはじめの2小節である。続く2小節 A のリズムを次の1～5より一つ選びなさい。

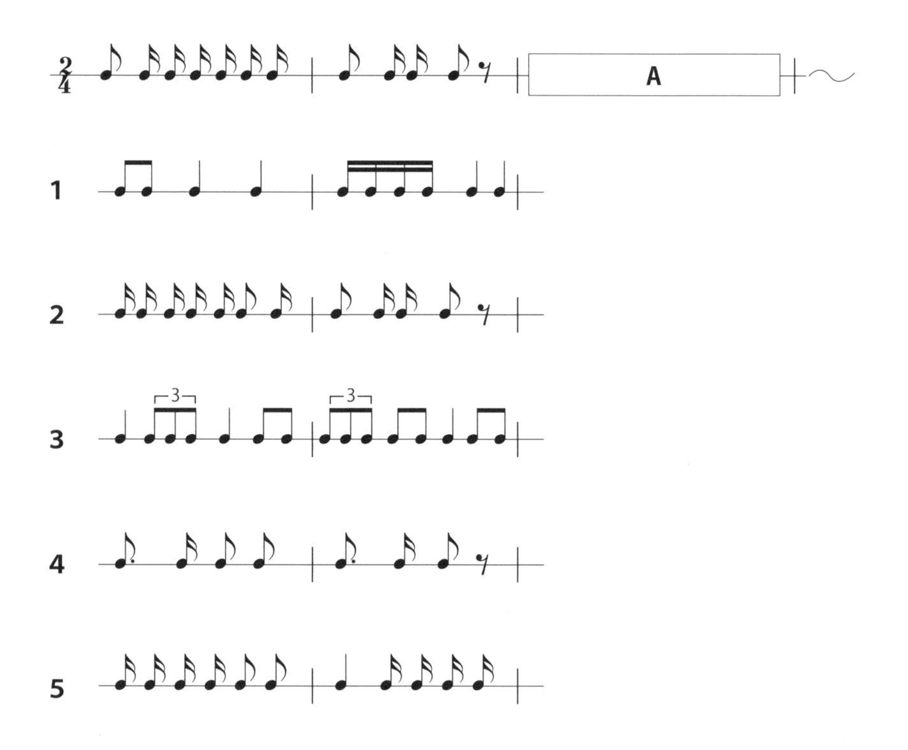

解答・解説❽　答　4

5曲とも、子どもの歌としてよく知られている曲である。与えられた**リズムパターン**を頭の中でリズム打ちしてみて、5曲の中のどのメロディーにあてはまるか考える。4分の4拍子。前半2小節と後半2小節で、まったく同じリズムパターンが繰り返されている。付点音符がタイでつながっていることに注意。何度かたたいてみて、楽曲のメロディーを思い浮かべながら、正解を探す。明らかにリズムが異なる曲を除いていく**消去法**で考えることも有効である。

正解は、4の「1ねんせいになったら」である。

解答・解説❾　答　2

よく知られている「どんぐりころころ」である。冒頭のリズム譜に続けて頭の中でメロディーを追いながら、次の2小節のリズム譜を想起する。3小節目の歌詞「おいけにはまって」のところには**シンコペーション**が使われている。そのような特徴的なリズムに気づけば、正解にたどりつきやすい。問8の解説も参考に。

なお、使われている拍子から考えることも有効である。「どんぐりころころ」は4分の2拍子であるのに対し、選択肢1は4分の3拍子、選択肢3は4分の4拍子であるから正解候補から除外し、残りの3つ(ともに4分の2拍子)に絞って考えることができる。

正解は、2のリズム譜である。

問10 次の文の中から、適切な記述を一つ選びなさい。

1 わらべうたは、大正時代に数多く作られた子ども向けの歌曲である。
2 リトミックは、オルフによって創案された音楽教育の方法の一つである。
3 岡野貞一作曲、高野辰之作詞の「ふるさと」は、３拍子の曲である。
4 ピッコロは、フルート、オーボエと同様、金管楽器である。
5 変ホ長調の階名「ソ」は、音名「ロ」である。

問11 次の文の中から、適切な記述を一つ選びなさい。

1 「十五夜お月さん」は、明治時代に発表された唱歌である。
2 ピチカートは弦を指ではじく奏法である。
3 階名で歌うことを「固定ド唱法」という。
4 ドビュッシー、ラヴェル、ショパンはともに印象派の代表的な作曲家である。
5 「花」「箱根八里」「荒城の月」を作曲した滝廉太郎は、大正時代の作曲家である。

問12 次の文のうち、適切な記述を○、不適切な記述を×とした場合の正しい組み合わせを一つ選びなさい。

A 「ぞうさん」「おつかいありさん」「やぎさんゆうびん」は、まど・みちおによって作詞された。
B 赤い鳥童謡運動は、明治時代に唱歌を批判して始まった。
C ソーラン節は、九州地方の民謡である。
D 滝廉太郎作曲の「お正月」は、４分の４拍子、８小節からなる。
E 歌を子どもに教えるときにふさわしいといわれる聴唱法とは、別名模唱法ともいう。

（組み合わせ）

	A	B	C	D	E
1	○	○	○	×	○
2	○	×	×	○	×
3	×	○	×	○	×
4	×	×	○	×	○
5	×	×	×	×	○

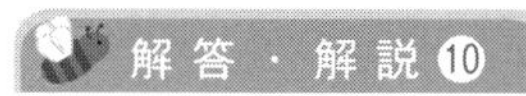

解答・解説⑩　答　3

1×　わらべうたとは、**子どもたちの生活の中で生まれ**、歌い継がれてきた歌である。わらべうたには、**日本古来**の音階、旋律、リズムなどの要素が色濃く残っている。

2×　リトミックの創始者は、**エミール・ジャック・ダルクローズ**である。

3○　岡野貞一作曲、高野辰之作詞の「ふるさと」は、**4分の3拍子**の曲である。

4×　ピッコロ、フルート、オーボエはともに木管楽器である。**木管楽器**にはほかに、クラリネット、ファゴット、サクソフォン等がある。

5×　変ホ長調の階名「ソ」は、音名「**変ロ**」である。

解答・解説⑪　答　2

1×　「十五夜お月さん」（作詞：野口雨情　作曲：本居長世）は **1920**（**大正9**）**年**に発表された。

2○　ピチカートは弦楽器の弦を**指ではじく**ことで音を出す演奏技法である。

3×　階名で歌うことは、「**移動ド唱法**」という。

4×　ドビュッシー（1862～1918）とラヴェル（1875～1937）は、フランスで興った**印象主義音楽**の代表的作曲家であるが、ショパン（1810～1849）はポーランド出身の**ロマン派**の作曲家である。

5×　1879（明治12）年に生まれ1903（明治36）年に没した**明治時代**の作曲家である。今なお日本を代表する作曲家の一人だが、肺結核のため23歳の若さで亡くなり、作曲家としての活動期間は17歳からのわずか6年間という短さだった。

解答・解説⑫　答　5

A×　「ぞうさん」「やぎさんゆうびん」は、まど・みちおの作詞によるが、「おつかいありさん」は、**関根榮一**の作詞である。3曲ともに、作曲は**團伊玖磨**である。

B×　赤い鳥童謡運動が始まったのは、**大正時代**のことである。自由主義を求める動きである大正デモクラシーの影響の下に、多くの作家や音楽家が活動した。

C×　ソーラン節は**北海道地方**の民謡。ニシン漁の際に、ニシンの群れを網に追い込み船に上げながら歌う力強い歌。

D×　12小節からなる。歌い出しと最後の4小節はお正月を楽しみに待つ心情を、中間の4小節はお正月の遊びについて歌っている。作詞は、東京音楽学校で滝の先輩にあたる、東くめである。

E○　聴唱法は**模唱法**ともいう。楽譜を使わず、指導者が歌うのをまねて歌わせることによって指導する方法である。

問13 **次の文は、保育所における造形表現分野に関する活動の内容や配慮等である。「保育所保育指針」第2章「保育の内容」の2「1歳以上3歳未満児の保育に関わるねらい及び内容」(2)「ねらい及び内容」オ「表現」の内容に照らし、適切な記述の組み合わせを一つ選びなさい。**

A　3歳未満児は、子ども自身で試行錯誤することは難しいので、できるかぎり簡単な活動を展開したほうがよい。

B　荒々しいタッチで絵を描く子どもがいたので、描き方を改めるように指導した。

C　絵を描きたくないという子どもがいたので、なぜその子どもが絵を描きたくないのかを考えてみた。

D　フィンガーペイントの活動では、保育室が汚れると困るので、紙から絶対にはみ出さないで描くようにと事前に伝えた。

(組み合わせ)

	A	B	C	D
1	○	○	×	○
2	×	×	○	×
3	○	×	○	○
4	×	○	○	×
5	○	×	×	×

問14 **次の文のうち、適切な記述を○、不適切な記述を×とした場合の正しい組み合わせを一つ選びなさい。なお、下記の文で考慮する色の範囲は12色相環に白、黒、灰色を加えたものとする。**

A　有彩色の中で最も明度が高い色は白である。

B　色相環において対置する色同士の関係を補色の関係という。

C　彩度とは色の鮮やかさのことで、絵の具を混色すればするほど彩度は上がる。

D　掲示物を制作する場合、掲示物の地の色と文字の色は明度差が大きい方が読みやすい。

(組み合わせ)

	A	B	C	D
1	○	○	○	×
2	×	○	×	○
3	○	○	×	×
4	×	×	○	○
5	×	×	×	○

解答・解説⑬　答　2

A×　3歳未満児であっても、試行錯誤しながら様々な表現に取り組み、**自分の力でやり遂げる充実感を味わう**ことは大切である。

B×　荒々しいタッチで描く場合、子どもが自分の感情や気持ちを表現しているとも考えられる。そのような表現を制止するのではなく、子どもの感情や気持ちに対して**受容的に関わる**ことが望ましい。

C○　絵を描きたくない子どもの気持ちに寄り添い、どのような支援や援助が適切かを考えることは大切である。

D×　子どもの表現や表出を保育者の都合で一方的に抑制することは望ましくない。養生を十分に行うなどして、子どもの表現や表出をできるかぎり**妨げない**ようにすることが望ましい。

解答・解説⑭　答　2

A×　色は無彩色（白、黒、灰色）と有彩色（無彩色以外の色）からなり、色の中で最も明度が高いのは白だが、有彩色に限定すると**黄が最も明度が高い**。

B○　補色どうしを混色すると**理論的には黒**になる（実践的には暗い灰色になることが多い）。

C×　彩度は色の鮮やかさのことで、絵の具を混色すると**彩度は下がる**。一般的に、絵の具をチューブから出した色が最も彩度が高い。

D○　例えば、地の色が白ならば、文字の色は灰色よりも黒の方が**明度差が大きく文字が読みやすい**。

問15 **次の文は、描画表現の発達過程の図式期に関する記述である。不適切な記述を一つ選びなさい。**

1 画面の下部に横線が引かれていて、その線が地面を表している。

2 運動会で取り組んだ大玉転がしの大玉が、実際の比率よりもかなり大きく描かれている。

3 複数の人物が縦に積み上げられるように描かれている。

4 手前にあるものを濃くはっきり描き、遠くのものを青みがかった薄い色で描いている。

5 登園したときの様子と降園したときの様子が、一枚の絵の中に同時に描かれている。

問16 **次の【事例】を読んで、【設問】に答えなさい。**

【事例】

粘土を用いた造形活動について、新任のX保育士（以下X）と主任のY保育士（以下Y）が話しています。

X：私が担任している3歳児のクラスで、修了記念に粘土を用いた共同制作を計画しています。

Y：共同制作を行う年齢としては（　**A**　）ので、工夫をしながらやってみるといいですね。

X：共同制作なので制作期間は、2週間くらいを考えています。

Y：それは（　**B**　）と思います。子どもの発達をもう少し考慮する必要があるかもしれませんね。

X：そうなんですね。制作時間はもう少し考えてみます。作ったものをできるだけ長く飾っておきたいので、素材は（　**C**　）でいいでしょうか。

Y：はい、問題ないです。

【設問】

（　**A**　）～（　**C**　）にあてはまる語句の最も適切な組み合わせを一つ選びなさい。

（組み合わせ）

	A	B	C
1	やや早い	短すぎる	小麦粉粘土
2	やや早い	長すぎる	油粘土
3	やや遅い	短すぎる	小麦粉粘土
4	やや遅い	長すぎる	小麦粉粘土
5	やや早い	短すぎる	油粘土

解答・解説⑮　答　4

1○　**基底線**と呼ばれる表現で、この横線に沿って人物や草花、家や車などが描かれることが多い。

2○　**誇張表現**と呼ばれる表現様式で、興味や愛着のあるもの、感情的、身体感覚的に強い印象を受けたものなどを誇張して描く表現のこと。主にサイズの大小を誇張することが多い。

3○　**積み上げ遠近法**と呼ばれる表現で、一番手前にいる人物を一番下に描き、後ろにいる人物ほど上に描くことで、人物（モチーフ）の前後関係を表している。

4×　設問の表現は空気遠近法と呼ばれる**写実期**以降の表現様式であって、図式期にはみられない。

5○　**異時同図法**と呼ばれる表現様式で、異なる時間に起きたことが一つの画面（一枚の画用紙）に同時に表されている。

解答・解説⑯　答　2

A－やや早い
B－長すぎる
C－油粘土

A　一般的に共同制作が行えるようになる年齢は**4歳頃**だといわれている。ただし、3歳だから共同制作ができないということではなく、難易度やグループの人数、クラス内での発達を考慮して計画することが大切である。

B　長期間（2週間以上）共同制作に興味をもち、持続して制作できる年齢は一般的に**5歳頃**からである。子どもたちの興味・関心にもよるが、3歳クラスで2週間以上の共同制作は一般的に長い。

C　長期間作品を飾る場合、小麦粉粘土はカビがはえてしまうことがあるので向かない。長期間飾るためには、**油粘土や土粘土**、**紙粘土**などが小麦粉粘土よりもよい。

問17 **次の文は、表現の技法に関する記述である。A～Dの技法名として正しい組み合わせを一つ選びなさい。**

A 水性染料マーカーで紙に絵や模様を描き、そのあとで霧吹きなどで水を吹きかける。

B 目の細かい網に絵の具をつけて、歯ブラシなどでこすって絵の具のしぶきを散らす。

C 円や星、ハートの形などを切り抜いた型紙を用いて、それらの図像を転写する。

D 多めの水で溶いた絵の具を紙にたらし、その絵の具をストローで吹く。

（組み合わせ）

	A	B	C	D
1	にじみ絵	スパッタリング	紙版画	ブローイング
2	墨流し	スパッタリング	紙版画	デカルコマニー
3	墨流し	ドリッピング	ステンシル	ブローイング
4	にじみ絵	ドリッピング	紙版画	デカルコマニー
5	にじみ絵	スパッタリング	ステンシル	ブローイング

問18 **次のうち、表現の材料に関する記述として、正しいものを二つ選びなさい。**

1 卒園記念に、子どもたちと野外の壁にポスターカラーを用いて壁画を描いた。

2 ペープサートを作る際に、紙の補強のためにボール紙を用意した。

3 重色の楽しさを子どもたちに経験してもらうために、クレヨンを用意した。

4 小麦粉粘土の着色料として食用色素を用いた。

5 段ボール同士をつなげるために、マスキングテープを用いた。

解答・解説⑰　答 5

Aーにじみ絵
Bースパッタリング
Cーステンシル
Dーブローイング

A　**にじみ絵**は、マーカーのほかに水溶性絵の具を用いる方法もあり、その場合は紙をあらかじめ湿らせておく。墨流しとはマーブリングのことで、水面に浮かべた墨汁や絵の具を紙に写し取る技法である。

B　**スパッタリング**とドリッピングは混同しがちなので注意が必要。ドリッピングは、絵の具を多めにつけた筆を振るなどして、絵の具を紙に垂らす技法である。

C　設問にある技法は**ステンシル**であり、版形式としては**孔版**に分類される技法である。紙版画は、紙を重ねて作った版を用いる技法で、凸版（とっぱん）に分類される。

D　もう一方の選択肢である**デカルコマニー**は、絵の具をつけた紙を二つ折りにして、再度紙を広げることで**左右対称の図像**を表す技法である。

解答・解説⑱　答 2、4

1×　ポスターカラーは耐水性がないため屋外用の展示物には適さない。屋外用には乾くと耐水性を持つ**アクリル絵の具**（または、外壁用塗料）が適している。

2○　ボール紙は厚みのある比較的強度の高い紙なので、ペープサートを作る際の用紙や補強用として活用できる。

3×　クレヨンは主に線描による表現に適しており、重色・混色・ぼかし・面塗りなどの表現は**オイルパステル**が適している。

4○　小麦粉粘土は子どもが口にするおそれがあるので、食べても無害な食用色素を着色料として用いるべきである。

5×　段ボール同士をつなげるためには、マスキングテープでは接着力不足である。**布テープ**や**クラフトテープ**を用いた方がよい。

アドバイス

幼児造形活動における用具・材料に関する問題は、毎年のように出題されている。主な出題テーマとしては、「絵の具の種類と使い分け」「粘土の種類と制作工程」「紙の種類やサイズ」があげられる。絵の具に関しては、アクリル絵の具、ポスターカラー、水彩絵の具などの違いについて理解する。粘土については、小麦粉粘土、紙粘土、油粘土、テラコッタ粘土などの違いと制作上の注意事項を押さえる。紙に関しては、新聞紙、画用紙、ケント紙、和紙、ボール紙などの特性と用途について理解しておく必要がある。

問19 次の文は、粘土に関する記述である。不適切な記述を一つ選びなさい。

1 保育園や幼稚園で紙粘土にニスを塗る場合は、水性ニスを用いた方がよい。

2 小麦粉粘土を用いる場合は、グルテンアレルギーの子どもがいないか注意する。

3 油粘土は固化しないので、繰り返し使用することができる。

4 土粘土は、一度乾燥して固まると再利用できない。

5 石塑粘土は乾燥して固化すると、紙粘土よりも硬くなる。

問20 次の【事例】を読んで、【設問】に答えなさい。

【事例】

子どもたちが描いた絵を見て、新任のＬ保育士（以下Ｌ）と主任のＭ保育士（以下Ｍ）が話しています。

Ｌ：この絵は人物があちらこちらに描かれていて、画面に統一感がみられませんね。まるでカタログのようです。

Ｍ：この時期は（　**A**　）といって、画面に上下左右の区別があまりみられません。あと、この時期は（　**B**　）という人物表現がみられる時期でもあります。

Ｌ：あ、それなら勉強しました。（　**B**　）には胴体のイメージが含まれて（　**C**　）と考えられるのですよね。

Ｍ：よく勉強していますね。では、あちらの絵には基底線やレントゲン描法がみられますが、だいたい何歳くらいの子どもが描いたと思いますか。

Ｌ：個人差もあると思いますが、だいたい（　**D**　）歳くらいではないでしょうか。

Ｍ：そうですね。保育園の園児だと、それくらいの年齢ですね。

【設問】

（　**A**　）～（　**D**　）にあてはまる語句の最も適切な組み合わせを一つ選びなさい。

（組み合わせ）

	A	B	C	D
1	前図式期	頭足人	いない	3～4
2	前図式期	頭足人	いない	4～6
3	前図式期	頭足人	いる	4～6
4	図式期	足頭人	いる	3～4
5	図式期	足頭人	いない	4～6

解答・解説⑲　答　4

1○　紙粘土に塗るニスは一般的に**水性**のものである。また、幼児造形教育では、中毒の可能性が高くなる油性のニスや塗料は避けた方がよい。

2○　小麦粉に含まれる**グルテンは強いアレルギーを引き起こす**こともあり、アレルギーを持つ子どもがいないか注意する。なお、グルテンが含まれないホワイトソルガムの粉は、小麦粉の代替物として粘土の材料にもなる。

3○　一方で、油粘土は**固まらない**ので作品の長期保存には向いていないという面もある。

4×　固まった土粘土も細かく砕いて水につけ、練り直せば**再利用できる**（ただし、再利用には労力がかかる）。

5○　石塑粘土とは石を原料とした粘土で、固化すると**紙粘土より硬くなる**ので、削ったり磨いたりする活動ができる。

解答・解説⑳　答　3

A－前図式期

B－頭足人

C－いる

D－４～６

A　**前図式期**はカタログ期とも呼ばれる時期で、上下左右の区別が意識されて絵が描かれることはあまりない。

B　**頭足人**は、前図式期の頃にみられる人物表現の様式である。

C　頭足人にへそを描き加える事例もあることから、頭足人には胴体のイメージも含まれていると考えられる。

D　基底線やレントゲン描法がみられる時期は**図式期**と呼ばれる時期で、図式期はおおよそ**４～９歳頃**の年齢にあてはまる。設問は保育園の園児を対象としているので、４～６歳頃が適切である。

問21 **次の文は、造形理論に関する記述である。（　A　）～（　C　）にあてはまる語句の正しい組み合わせを一つ選びなさい。**

子どもが描いた（　A　）は、見ているものよりも知っていることを優先的に描こうとする（　B　）の典型的な例である。この特徴に着目したのは、フランスの教育者（　C　）である。

（組み合わせ）

	A	B	C
1	透視図	知的写実性	G.H. リュケ
2	透明画	視覚的写実性	R. ケロッグ
3	透明画	知的写実性	G.H. リュケ
4	透視画	視覚的写実性	R. ケロッグ
5	透視図	知的写実性	M. コックス

問22 **次の文章は、美術教育研究者に関する記述である。（　A　）～（　D　）にあてはまる語句の最も適切な組み合わせを一つ選びなさい。**

F. チゼックは、美術教育の父と呼ばれ（　A　）に独自の価値を見出した人物として知られている。V. ローウェンフェルドは、創造活動の主なタイプとして（　B　）と（　C　）をあげ、そのタイプに合わせた指導の必要性を説いた。R. ケロッグは、世界各地の子どもの絵に同心円や同心正方形の構造を持つ（　D　）という図が出現すると分析した。

（組み合わせ）

	A	B	C	D
1	子どもの美術	視覚型	触覚型	ダイアグラム
2	少年の美術	視覚型	接触型	ダイアグラム
3	子どもの美術	視覚型	触覚型	マンダラ
4	少年の美術	視認型	接触型	ダイアグラム
5	子どもの美術	視認型	接触型	マンダラ

解答・解説㉑　答 3

A－透明画

B－知的写実性

C－G.H. リュケ

A　**透明画**はレントゲン画とも呼ばれ、外部から見ているにもかかわらず、見えないはずの内部を表す表現様式のことである。透視図は消失点を設定して遠近感を表す方法のことで、見ている光景を客観的に表現する場合に向いている。

B　**知的写実性**のほかの典型例は、自分からは取っ手が見えない位置からコップを描いているにもかかわらず、絵には取っ手を描き加えることなどである。視覚的写実性は、見たものをそのまま描くことである（取っ手は描き加えない）。

C　**G.H. リュケ**は、彼の著書『子どもの絵』で知的写実性について言及している。R. ケロッグは、世界中の子どもの絵を集め、その特徴を分析したことで知られる。M. コックスは、頭足人に胴体は含まれるかという研究で知られている。

解答・解説㉒　答 3

A　F. チゼックは、**子どもの美術**に独自の価値を見出し、子ども中心主義の美術教育を展開した。

B　**視覚型**とは、観察を主体として物事の外観を重視して表現するタイプのことをいう。

C　**触覚型**とは、筋感覚や運動経験に基づき、主観を重視して表現するタイプのことをいう。

D　R. ケロッグは、世界中から集めた膨大な子どもの絵を分析することで、子どもの絵に**マンダラ**という構造が出現することを見出した。ダイアグラムとは、幾何学的な図形のことで、この用語も R. ケロッグが用いた言葉の一つである。

問23 **次の文のうち、適切な記述を一つ選びなさい。**

1 絵本の読み聞かせは、文字に興味を持つようになる年齢から始める。
2 幼い子どもは、ひざに抱くなどスキンシップをとりながら読み聞かせる。
3 一度読んだ絵本は、内容を覚えてしまうため繰り返して読まない。
4 文字が全くなく、絵だけで構成されたものは絵本ではない。
5 「うさぎとかめ」は、昔から語り継がれてきた日本の民話である。

問24 **次の文は、子どもにお話をするために必要な留意点である。適切な記述を○、不適切な記述を×とした場合の正しい組み合わせを一つ選びなさい。**

A 子どもを注目させるために、話のはじめに大きな物音を立てる。
B 方言は使わずに、すべて標準語で話す。
C 発声時に音声をコントロールできるように、日頃から練習する。
D 語り手の声や表情に注目させるため、大げさに演出する。

（組み合わせ）

	A	B	C	D
1	○	×	○	○
2	○	○	×	×
3	×	×	○	×
4	×	○	×	×
5	×	○	○	○

問25 **次の文は、児童文化財に関する記述である。適切な記述を一つ選びなさい。**

1 エプロンシアターでは、不織布を主に材料として用いる。
2 ペープサートとは、外国風の影絵のことである。
3 パネルシアターの画面は、Ａ１サイズ以上でなければならない。
4 紙芝居を読むときは、演出ノートの指示を考慮して読む。
5 絵本は必ず一対一で読むようにする。

解答・解説㉓　答　2

1×　低年齢児にとっての絵本は、絵や文というより、**色や形、声**が主要素である。文字や文に興味を持つ前から、絵本に触れる環境を用意する。

2○　子どもたちに一斉に向き合って読み聞かせるときとは違い、**体をくっつけたり触れたり**して、子どもにとって**居心地のよい時間**にする。

3×　**繰り返して自然と文を覚える経験**も大切である。子どもたちは、お気に入りの絵本を何度でも読みたいという気持ちがあり、繰り返しても楽しめる。

4×　対象0歳児からの**赤ちゃん絵本**と呼ばれるものがある。読み手の声を聴いて安心感を得たり、絵を見ながらコミュニケーションをとったりすることができる。

5×　**イソップ童話**にあったものを明治時代の教科書で採用したことにより日本でもよく知られるようになった。

解答・解説㉔　答　3

A×　大きな物音を立てて驚かせたり緊張させたりするのはよくない。保育士による**自然な導入**によって、子どもの気持ちが引きつけられるようにする。

B×　昔話や創作文学など、方言で書かれたテキストは**忠実に覚える**ことが望ましい。勝手に台詞や物語を改変してしまわずに、そのまま語るようにする。郷土の方言や文化などは、自作のお話でも積極的に伝えていくことが大切である。

C○　日頃から、お話を黙読して覚えるだけでなく、**声に出して練習**する必要がある。声に表情をつけるには、自分の声をよく聴きコントロールすることを意識する。

D×　あまり大げさに演出すると、子どもたちは、語り手に注目してしまい、お話の内容から**気がそれてしまう**。語り手は、子どもの想像を促すように豊かに表現して、子どもたちが、お話の世界に入り込んで楽しめるように心がける。

解答・解説㉕　答　4

1×　エプロンシアターは、着用した**エプロン上で演じる人形劇**のことである。エプロンに人形を貼りつける際は、主に面ファスナーを用いる。

2×　ペープサートは、棒付きの**紙人形を用いた人形劇**のことである。

3×　パネルシアターは、不織布を張ったパネルに、Pペーパーと呼ばれる不織布で作った人形を貼りながら演じる人形劇のことである。**大きさの決まりは特にない**。

4○　紙芝居の裏面の下部には、演出ノートが記載されている。基本的には、その**指示に従いながら読んだり、演じたりする**。

5×　かならずしも**一対一で読む必要はない**。ただし、読む人数に応じて、絵本の持ち方やページのめくり方を工夫する必要がある。

問26 次の文のうち、「保育所保育指針」第２章「保育の内容」１「乳児保育に関わるねらい及び内容」(3)「保育の実施に関わる配慮事項」の一部として、適切な記述を○、不適正な記述を×とした場合の正しい組み合わせを一つ選びなさい。

A　乳児は疾病への抵抗力が弱く、心身の機能の未熟さに伴う疾病の発生が多いことから、一人一人の発育及び発達状態や健康状態についての適切な判断に基づく保健的な対応を行うこと。

B　一人一人の子どもの生育歴の違いに留意しつつ、欲求を適切に満たし、複数の保育士が積極的に関わるように努めること。

C　保護者との相互関係を築きながら保育を進めるとともに、保護者からの要望に応じ、保護者への支援に努めていくこと。

（組み合わせ）

	A	B	C
1	○	×	×
2	×	×	○
3	○	×	○
4	○	○	×
5	×	×	×

問27 次の文は、「保育所保育指針」の第１章の３「保育の計画及び評価」の指導計画の作成上、特に留意すべき事項の一部である。（　A　）～（　D　）の語句が正しいものを○、誤ったものを×とした場合の正しい組み合わせを一つ選びなさい。

・３歳未満児については、一人一人の子どもの（**A**　生育歴）、心身の発達、（**B**　活動）の実態等に即して、（**C**　協同的）な計画を作成すること。

・３歳以上児については、個の成長と、子ども相互の関係や（**D**　個別的）な活動が促されるよう配慮すること。

（組み合わせ）

	A	B	C	D
1	○	○	×	×
2	○	×	○	×
3	×	×	○	×
4	×	○	○	○
5	×	○	×	○

解答・解説㉖　答　1

A○　適切な記述である。「保育所保育指針」第２章「保育の内容」1「乳児保育に関わるねらい及び内容」(3)「保育の実施に関わる配慮事項」アの記述である。

B×　同イの記述で、「複数の保育士が積極的に関わる」は誤りで正しくは「**特定**の保育士が**応答的**に関わる」である。

C×　同エの記述で、「保護者との相互関係」は誤りで正しくは「保護者との**信頼関係**」、「保護者からの要望に応じ」は誤りで、正しくは「保護者からの**相談**に応じ」である。

保育の内容は、「乳児」「1 歳以上 3 歳未満児」「3 歳以上児」の年齢区分によって示されている。乳児保育では、特定の保育者が応答的に関わることによって情緒的な絆を形成していく。保護者とは信頼関係を築き、保護者の悩みや不安な思いに寄り添い、支援していく。

解答・解説㉗　答　1

A○　正しい語句である。

B○　正しい語句である。

C×　正しくは、「**個別的**」が入る。

D×　正しくは、「**協同的**」が入る。

「保育所保育指針」第１章「総則」3「保育の計画及び評価」(2)「指導計画の作成」イの（ア）と（イ）に明記されている。子どもの発達過程を考慮し、大きく**3 歳未満児**と**3 歳以上児**に分けて留意すべき点が記述されている。

問28 **次の文は「保育所保育指針」の第1章の3「保育の計画及び評価」の指導計画の作成についての一部である。（　A　）～（　E　）にあてはまる語句の正しい組み合わせを一つ選びなさい。**

・保育所の生活における子どもの（　A　）を見通し、生活の連続性、（　B　）の変化などを考慮し、子どもの実態に即した具体的なねらい及び（　C　）を設定すること。

・具体的なねらいが達成されるよう、子どもの生活する姿や発想を大切にして適切な（　D　）を構成し、子どもが（　E　）に活動できるようにすること。

（組み合わせ）

	A	B	C	D	E
1	活動	気持ち	評価	指導計画	正確
2	発達過程	気持ち	内容	指導計画	主体的
3	発達過程	気持ち	評価	環境	正確
4	活動	季節	内容	指導計画	正確
5	発達過程	季節	内容	環境	主体的

次の文は「保育所保育指針」第2章「保育の内容」3「3歳以上児の保育に関するねらい及び内容」エ「言葉」の一部である。（　A　）～（　E　）にあてはまる語句の正しい組み合わせを一つ選びなさい。

・（　A　）の中で必要な言葉が分かり、使う。

・（　B　）をもって日常の挨拶をする。

・生活の中で言葉の楽しさや（　C　）に気付く。

・いろいろな（　D　）を通じてイメージや言葉を豊かにする。

・絵本や物語などに親しみ、興味をもって聞き、（　E　）をする楽しさを味わう。

（組み合わせ）

	A	B	C	D	E
1	生活	親しみ	美しさ	体験	想像
2	遊び	興味	面白さ	遊び	会話
3	生活	興味	美しさ	生活	想像
4	遊び	親しみ	面白さ	体験	会話
5	生活	親しみ	面白さ	生活	想像

解答・解説㉘　答 5

A－発達過程

B－季節

C－内容

D－環境

E－主体的

「保育所保育指針」第1章「総則」3「保育の計画及び評価」(2)「指導計画の作成」ウの記述の一部である。

指導計画には、**長期的**な指導計画（年・期・月）と**短期的**な指導計画（週・日）がある。子どもの発達を長期的に見通したうえで、子どもの生活に即した具体的な計画を立てる。ねらいが達成されるように、子どもが自ら関わりたくなるような魅力ある環境構成を考える。

解答・解説㉙　答 1

A－生活

B－親しみ

C－美しさ

D－体験

E－想像

「保育所保育指針」第2章「保育の内容」3「3歳以上児の保育に関するねらい及び内容」(2)「ねらい及び内容」エ「言葉」（イ）「内容」の⑤～⑨の記述である。

「健康」「人間関係」「環境」「言葉」「表現」の**5領域**は、「乳児」「1歳以上3歳未満児」「3歳以上児」の年齢区分によって示されている。また「**乳児**」においては、発達を考慮して5領域ではなく、「**健やかに伸び伸びと育つ**」「**身近な人と気持ちが通じ合う**」「**身近なものと関わり感性が育つ**」の**3つの視点**で示されており、この3つの視点が5領域に繋がる。

次の文は、「保育所保育指針」の第１章の３「保育の計画及び評価」(4)「保育内容等の評価」ア「保育士等の自己評価」に関する記述の一部である。（　A　）～（　E　）にあてはまる語句の正しい組み合わせを一つ選びなさい。

①保育士等は、保育の計画や保育の（　A　）を通して、自らの保育実践を振り返り、自己評価することを通して、その専門性の向上や保育実践の（　B　）に努めなければならない。
②子どもの活動内容やその結果だけでなく、子どもの（　C　）の育ちや意欲、取り組む過程などにも十分配慮するよう留意すること。
③自らの保育実践の振り返りや職員相互の（　D　）等を通じて、専門性の向上及び保育の（　E　）の向上のための課題を明確にするとともに、保育所全体の保育の内容に関する認識を深めること。

（組み合わせ）

	A	B	C	D	E
1	実践	維持	身体	観察	技術
2	記録	改善	心	話し合い	技術
3	実践	改善	身体	話し合い	質
4	記録	改善	心	話し合い	質
5	実践	維持	身体	観察	質

問31　次の文は、「児童福祉施設の設備及び運営に関する基準」の一部である。（　A　）～（　E　）にあてはまる正しい語句を○、不適切な語句を×とした場合の正しい組み合わせを一つ選びなさい。

児童養護施設には、（A　児童指導員）、嘱託医、（B　保育士）、個別対応職員、（C　家庭支援専門相談員）、栄養士及び調理員並びに乳児が入所している施設にあつては（D　心理療法担当職員）を置かなければならない。ただし、児童40人以下を入所させる施設にあつては（E　栄養士）を、調理業務の全部を委託する施設にあつては調理員を置かないことができる。

（組み合わせ）

	A	B	C	D	E
1	○	○	○	×	○
2	○	×	×	○	○
3	×	○	×	×	○
4	×	○	○	○	×
5	○	×	×	○	×

解答・解説㉚　答 4

A－記録

B－改善

C－心

D－話し合い

E－質

「保育所保育指針」第1章「総則」3「保育の計画及び評価」(4)「保育内容等の評価」ア「保育士等の自己評価」の記述である。このような自己評価のあり方により、学び合いを継続していく基盤が形成され、自分と異なる他者の意見を受け止め自らの保育を謙虚に振り返る姿勢や、保育に対する責任感と自覚など**保育の専門性**の向上が図られていく。

解答・解説㉛　答 1

A○　正しい語句である。

B○　正しい語句である。

C○　正しい語句である。

D×　正しくは、「**看護師**」が入る。

E○　正しい語句である。

「児童福祉施設の設備及び運営に関する基準」第42条第1項である。ここでは、児童養護施設における職員の**職種及び条件**について明記されている。

問32 児童養護施設で実習をしているMさん（学生、女性）の子どもたちへの対応として、最も適切な記述を一つ選びなさい。

1　Aちゃん（6歳、女児）のことを理解したくて、入所理由や両親の所在など、知りたいことをAちゃんに尋ねた。

2　自分の食器を片付けない行為が続くB君（10歳、男児）に対して、腹が立ち、「何回言ってもできないなら、ここから出ていきなさい！」と親の代わりとなって怒鳴った。

3　職員がいなくなるとMさんを叩いてくるC君（7歳、男児）に対して、叩かれて痛いという自分の気持ちを伝え、後で、実習担当の先生に助言を求めた。

4　話しかけても無視されるDちゃん（13歳、女児）に対して、自分は必要ないと考えて関わることを止め、Dちゃん以外の子どもたちに話しかけることにした。

5　「Mさんの連絡先を教えて欲しい」と言ってきたEちゃん（16歳、女児）に対して、子どもの気持ちに応えることが大切だと考えて、自分の電話番号を教えた。

解答・解説㉜　　答　3

1×　子どもの**個人情報**を知ろうとする行為である。また、子どもの気持ちを傷つける行為でもあり、不適切である。

2×　子どもの発達や気持ち、背景を考慮しない**一方的な関わり**である。子どもの気持ちを傷つける行為であり、不適切である。

3○　実習担当の先生に**助言を求める**ことは、保育実践の改善・向上につながる行為であり、適切である。

4×　自分は必要ないという結論を出して関わることをやめるのは、保育実践の改善・向上につながらない行為であり、**不適切**である。

5×　個人情報である実習生自身の連絡先を子どもに伝える行為は、**不適切**である。

■監修：近喰　晴子
和田実学園学事顧問、東京教育専門学校副校長、目白幼稚園長。前秋草学園短期大学学長。日名子太郎に師事し、保育学に関する研究を重ねる。保育内容、保育者論、実習関係等のテキストを執筆。

■執筆者

保育の心理学
山本　有紀
洗足こども短期大学准教授

保育原理
保育実習理論（保育所保育指針・その他法令等）
岡本　かおり
洗足こども短期大学准教授

子ども家庭福祉
岡田　恵
松山東雲短期大学准教授

社会福祉
上村　裕樹
東北福祉大学准教授

教育原理
松﨑　真実
子ども教育宝仙大学准教授

社会的養護
細川　梢
福島学院大学准教授

子どもの保健
コンデックス情報研究所

子どもの食と栄養
山岡　恭子
元専門学校講師

保育実習理論（音楽表現）
コンデックス情報研究所

保育実習理論（造形表現）
中尾　泰斗
鳥取大学准教授

■編著：コンデックス情報研究所
1990年6月設立。法律・福祉・技術・教育分野において、書籍の企画・執筆・編集、大学および通信教育機関との共同教材開発を行っている研究者・実務家・編集者のグループ。

■企画編集　成美堂出版編集部

本書編集時点から2025年後期試験の出題法令基準日までに施行される法改正や、本書に関する正誤情報等は、下記のアドレスでご確認ください。

http://www.s-henshu.info/hohs2407/

上記掲載以外の箇所で正誤についてお気づきの場合は、**書名**・**発行日**・**質問事項**（**該当ページ**・**行数**・**問題番号**などと**誤りだと思う理由**）・**氏名**・**連絡先**を明記のうえ、お問い合わせください。

・web からのお問い合わせ：上記アドレス内【正誤情報】へ

・郵便またはFAX でのお問い合わせ：下記住所またはFAX 番号へ

※電話でのお問い合わせはお受けできません。

コンデックス情報研究所「本試験型保育士問題集 '25年版」係

住　所　〒359-0042　埼玉県所沢市並木3-1-9

FAX番号　04-2995-4362（10:00～17:00　土日祝日を除く）

※**本書の正誤以外に関するご質問にはお答えいたしかねます**。また受験指導などは行っておりません。

※ご質問の受付期限は、2025 年の各筆記試験日の10 日前必着といたします。

※回答日時の指定はできません。また、ご質問の内容によっては回答まで10 日前後お時間をいただく場合があります。

あらかじめご了承ください。

本試験型 保育士問題集 '25年版

2024年9月30日発行

監　修　近喰晴子（こんじきはるこ）

編　著　コンデックス情報研究所（じょうほうけんきゅうしょ）

発行者　深見公子

発行所　成美堂出版

〒162-8445　東京都新宿区新小川町1-7

電話(03)5206-8151　FAX(03)5206-8159

印　刷　大盛印刷株式会社

ISBN978-4-415-23886-9

落丁·乱丁などの不良本はお取り替えします

定価はカバーに表示してあります